LE SPECT
MENAÇAN

Joseph Lallier

Edition : Culturea (culurea.fr), 34 Hérault
Contact : infos@culturea.fr
Impression : BOD, Norderstedt (Allemagne)
ISBN : 9791041972555
Date de publication : juillet 2023
Mise en page et maquettage : https://reedsy.com/
Cet ouvrage a été composé avec la police Bauer Bodoni

À la mémoire de ma chère mère.

Leurs marteaux à la main, ces forçats du dimanche
Un dimanche pourront chercher quelque revanche.
Louis VEUILLOT

Première partie

I

– André Lescault, vous êtes libre ! dit à brûle-pourpoint le gouverneur du pénitencier, en présentant un parchemin au jeune homme frêle, mais à l'air distingué, qui depuis trois ans purgeait une sentence pour vol, à Saint-Vincent-de-Paul.

– Il me reste encore deux ans de sentence à purger, Monsieur le Gouverneur, répondit le jeune homme.

– Oui, mais en récompense de votre bonne conduite, le ministre de la justice a bien voulu vous faire grâce des deux autres années. Il est bon le ministre, de vous faire cette faveur !

André se redressa comme s'il eût subi une insulte. Ses yeux s'enflammèrent d'indignation.

– Ah ! dit-il, la bonté des hommes, je suis payé pour la connaître, depuis trois ans que je subis l'opprobre avec la pègre, que cette même bonté humaine m'a donnée comme compagne.

– Il ne faut pas maugréer contre la Justice, mon ami, reprit le gouverneur, il faut payer ses dettes à la Société, et ce n'est pas sa faute si vous êtes tombé.

– Vous avez raison, Monsieur le Gouverneur, dit André d'une

voix plus douce, et j'aurais mauvaise grâce de me défendre comme un homme convaincu, comme vous l'êtes, du crime dont j'ai été accusé ; mais puisque je suis libre, je n'ai qu'à vous remercier. Je sais que vous êtes bon et que, si cette faveur m'est accordée, c'est à vous que je la dois.

– Ah ! voilà que vous parlez sensément ! Préparez vos malles immédiatement, car vous sortez à neuf heures et il en est déjà sept. Vous n'avez pas de temps à perdre. Vous trouverez vos habits civils dans votre compartiment.

André se dirigea lentement vers sa cellule dont il trouva la porte ouverte. Une boîte de friandises avait été placée à côté de ses habits. « Oubliez le passé, ne pensez qu'à l'avenir », avait écrit la vieille matrone, de son écriture irrégulière, sur la boîte de bonbons confectionnés de sa main.

– C'est pas un prisonnier comme les autres, disait souvent la matrone en parlant du détenu Lescault.

– Chère Mélanie ! murmura tout bas le jeune homme ; il y a encore des âmes charitables sur la terre ! Pourquoi l'avais-je oublié ?... Eh bien ! je les mangerai à ta santé, bon cœur compatissant, et que Dieu te bénisse !

Tout en s'habillant, André jeta un dernier regard autour de sa petite chambre. Une étrange émotion l'étreignit.

– Mais ce n'est pas possible, dit-il, je me sens tout à coup attaché à ce qu'il me faut quitter !

On s'attache à de bien petites choses quand on les fréquente souvent et qu'elles ne nous font pas de mal ! C'est pourquoi André éprouvait une étrange sensation au moment de s'en séparer.

– Pauvre grabat ! Tu ne m'as pas été trop cruel après tout, dit-il en regardant son misérable petit lit caché sous une couverture de couleur douteuse. Que de fois j'ai couvert ma douleur de ta chaude laine, quand mon âme aussi bien que mon corps se sentaient glacés ! Et toi, petite table, adieu ! Petit tapis rouge qui a bu mes larmes, j'ai presque envie de t'embrasser en te quittant !

II

Il faisait froid par ce matin du huit novembre. André Lescault franchit le grand portique du pénitencier avant de s'engager sur les marches de granit qui descendent directement dans la rue.

L'énorme porte grinça sur ses lourds gonds. André s'arrêta comme troublé par un pénible souci. Oui, c'était le même grincement qu'il avait entendu trois ans auparavant quand il avait franchi ce seuil, menottes aux mains. D'un geste las, le policier l'avait remis au gouverneur avec la satisfaction d'un objet encombrant dont on se débarrasse avec joie.

De gros flocons de neige molle tombaient sur le joli village de Saint-Vincent-de-Paul, qui semble écrasé par la lourdeur des murs du pénitencier. Le sol détrempé par la neige fondante râlait dans un vain effort pour se soustraire à l'hiver qui arrivait à grands pas.

André sentit le froid l'étreindre à la gorge et toussa légèrement. Relevant le collet de son mince veston, il longea le mur suintant l'humidité, que la neige fondante rendait tout ruisselant. Il s'arrêta tout à coup comme embarrassé de cette liberté après laquelle il soupirait depuis trois ans. Ayant levé la tête, il aperçut la sentinelle postée sur une des tours d'observation, qui le regardait.

- Mais comment cet homme ne m'inspire-t-il plus aucune crainte, se dit André à lui-même. Combien de fois ai-je eu la tentation de m'évader, et quelle horreur je ressentais, en le voyant se promener le long du parapet. Il me semble aujourd'hui qu'il ne fait que son devoir, alors que j'étais habitué à le regarder comme un bourreau. Combien de fois aussi n'avais-je pas cru saisir chez lui un regard approbateur aux gouailleries de mes compagnons de bagne qui se moquaient de mes mains blanches ?

- Prends garde ! le petit à sa mère, disait l'un, tu vas faire bobo à tes petits doigts.

- Laisse donc le petit tranquille, répondait son copain, plus charitable. Il ne t'a pas fait de mal !

- Je veux lui endurcir la couenne, reprenait le premier.

André se contentait de sourire, en réponse à tous les quolibets de ses nouveaux compagnons, peu habitués à la charité. Sa bonne humeur les avait désarmés les uns après les autres et ils avaient fini par lui laisser la paix.

Après ce retour sur le passé, André continua de longer le mur, sur l'étroit trottoir de bois que la neige rendait glissant. Arrivé au coin de la muraille, un vent du nord-ouest l'enveloppa et le glaça complètement.

– Est-ce ça, la liberté ? murmura-t-il tout haut, en essayant de réprimer une toux qui semblait s'accentuer.

Ce qu'il venait de quitter était du confort à côté de ce qu'il éprouvait en ce moment. Il accéléra le pas, en se dirigeant vers la gare du chemin de fer.

Un oiseau de Saint-Vincent, se dit le chef de gare, en voyant entrer ce nouveau client dans la salle d'attente.

– Pas chaud, l'ami ? dit-il d'un air mi-sympathique, mi-gouailleur.

– Non, au dehors, mais vous ne semblez pas manquer de confort à l'intérieur.

– Vous venez de loin, je suppose !

– Oui... de très loin..., répondit André en appuyant sur les mots.

– Et vous allez ?... Vous avez besoin d'un billet de chemin de fer ?

– À quelle heure le train pour La Tuque ? dit André, répondant par une question au loquace chef de gare.

– Il ne part pas de train d'ici pour La Tuque, répondit ce dernier, c'est sur le Canadien National, je crois.

– Dans quelle direction est-ce ?

– Ah ! je ne saurais dire ; quand ce n'est pas sur notre chemin de fer, ça ne nous intéresse guère.

– Ah ! je comprends, répondit André.

– Il n'a pas l'air communicatif, se dit le chef de gare, en face de l'obstination d'André à éviter ses questions. Si je lui posais la question directe.

– Vous venez de Saint-Vincent-de-Paul ?

– Oui, Monsieur. Et vous aussi je suppose, puisque vous êtes le chef de gare.

André continua de lui répondre nonchalamment, tout en lisant les affiches qui tapissaient les murs de la salle d'attente.

– Où est l'Isle Maligne ? demanda André tout en continuant à lire.

– Ah ! c'est quelque part au Lac-Saint-Jean. Vous savez, comme je vous le disais tout à l'heure, ça ne nous intéresse pas beaucoup quand ce n'est pas sur notre chemin de fer. Je sais qu'il faut passer par Québec. Vous pourrez toujours vous informer une fois rendu là.

Tout en parlant, le chef avait passé sa tête à travers le guichet. En la retirant, sa casquette galonnée tomba par terre et roula sur le parquet.

– Ça ne vous serait pas trop « de trouble » de me rendre « mon casque », dit le chef un peu penaud de sa mésaventure.

– Voici, dit André très obligeamment ; mais, pardon, vous avez laissé échapper ceci, ajouta-t-il en lui remettant deux billets de banque de vingt dollars, qui étaient tombés de sa casquette.

– Ah oui ! c'est vrai, c'est l'argent que m'a remis Gustave Élie pour le transport de son tabac ; je l'avais complètement oublié. C'est bien « commode » d'avoir affaire à du monde honnête, tout de même ; vous n'aviez qu'à rien dire et vous me chipiez mes quarante dollars... Moi qui l'avais pris pour un oiseau de Saint-Vincent, dit-il à part.

– Un billet pour Québec, dit André.

– Oui, c'est très bien ; mais vous ne m'avez toujours pas encore dit d'où vous veniez, dit le chef incorrigible en lui livrant son billet.

– Où je vais, a peut-être plus d'importance que d'où je viens pour l'achat de mon billet.

– Oui, oui, vous avez raison ; mais on est toujours curieux de savoir ; il sort tant de gens du pénitencier ; on aime toujours à les distinguer des autres. Tenez, quand vous êtes entré, je me suis dit : ça c'est un oiseau de Saint-Vincent ; vous voyez comme on se trompe des fois ?

– Pourvu que vous ne m'ayez pas pris pour une chauve-souris, dit André en riant.

À ce moment, le rapide pour Québec entra en gare comme une trombe.

– Voici votre train. Pardon, il faut que j'aille aux bagages, dit le chef, sortant précipitamment de son bureau en refermant la porte sur lui.

– En voiture pour Trois-Rivières et Québec, cria le chef du train en mettant le pied sur le quai de la gare.

– *All aboard !* répéta-t-il en anglais.

André monta sur le wagon de seconde, alla s'asseoir sur une banquette vide et s'accouda à la fenêtre.

– Voulez-vous une cigarette, lui dit son vis-à-vis de siège, pour déclencher la conversation.

– Non, merci, dit tout simplement André.

– Prendriez-vous une petite « mèche », alors ?

– Non, je ne bois que de l'eau.

– Vous seriez p'têtre mieux d'aller vous asseoir avec les dames, lui répondit-il d'un air narquois.

Pour toute réponse, André se tourna la tête du côté de la fenêtre dont la vitre était couverte de neige molle, l'empêchant de voir à l'extérieur.

– C'est plus amusant à l'intérieur quand on veut faire comme « du monde », continua son interlocuteur ; l'paysage n'est pas bien beau à travers la neige.

– Ça me suffira. D'ailleurs je ferai un somme tout à l'heure, répondit André, sans s'offenser des railleries de son voisin de siège.

Le train s'ébranla rapidement. Le village de Saint-Vincent-de-Paul disparut bientôt derrière le nuage de fumée, crachée par la lourde locomotive. Saint-François-de-Sales et Terrebonne, cachés dans le brouillard, furent passés inaperçus. André essaya encore une fois en vain de pénétrer son regard à travers la fenêtre enneigée. Finalement il appuya sa tête sur la banquette.

III

Qu'allait-il faire à Québec ? ville inconnue pour lui, se demanda André. Bah ! que lui importait une ville ou l'autre, pourvu qu'il y trouvât de l'ouvrage et un endroit pour cacher sa honte. Là ou ailleurs, que pouvait-il attendre de la commisération des hommes ? Il fallait refaire sa vie, il l'a referait, voilà tout ; même avec un casier judiciaire comme recommandation !

– La Providence qui ne laisse pas les petits oiseaux sans pâture, aura bien soin de l'oiseau de Saint-Vincent-de-Paul ! se dit-il. Je ne suis pas le seul qui se soit relevé d'une chute, la mienne ne fût-elle qu'apparente !

La chaleur suffocante, à l'intérieur du wagon, et le roulement du train firent que le sommeil finit enfin par le vaincre. Que d'événements s'étaient succédé dans l'espace de trois heures ! Quel changement dans sa situation !

Il s'endormit bientôt profondément et toute sa vie repassa devant lui dans un rêve cruel. Il revit d'abord les jours heureux de son enfance, écoulés dans la vieille maison de pierres grises située sur les bords du grand fleuve, habitée par ses ancêtres depuis la fondation de la colonie. Il éprouva la douce sensation des tendres caresses de sa mère ; les attentions plutôt rustres mais sincères d'un père travailleur et économe, traversèrent son esprit. La petite école du « rang du bord de l'eau », fréquentée dès sa tendre enfance, et l'école du village de Verchères où il avait fait ses études, passèrent devant ses yeux comme sur un film enchanteur. Il revécut son entrée à la banque du village, puis son transfert à Montréal. Là il avait noué des relations assez intéressantes parmi les jeunes gens et les jeunes filles de son âge. Enfin ! l'heure fatale, où il avait été appréhendé, un dimanche, au sortir d'un cinéma, et jeté en prison. Ce fut ensuite ce procès terrible où une preuve accablante fit disparaître jusqu'au moindre vestige de doute sur sa culpabilité. Toutes les économies de son père avaient fondu dans ce retentissant procès où les meilleurs avocats avaient été retenus, pour tâcher de sauver l'honneur de sa famille. Pour compléter ses malheurs, les paroles de malédiction de son père, plus meurtri par la douleur qu'animé par la passion.

Deux grosses larmes coulèrent de ses yeux, malgré le sommeil profond dans lequel le bruissement du train l'avait plongé.

Ce fut ensuite la première lettre de sa mère remplie de tendresse pour son cadet, qu'elle chérissait encore davantage à cause du malheur qui les avait frappés. Enfin l'oubli, encore pire que les reproches.

Ah ! ces paroles accusatrices du juge, pourrai-il jamais les oublier, de même que la leçon que lui fit le tribunal, rappelant la peine causée à des parents honnêtes qui ne méritaient pas cet opprobre !

Un frisson d'horreur traversa tout son corps à la répétition de la scène qui se passa lorsqu'il franchit le seuil du pénitencier. Des sueurs froides ruisselèrent sur son front fatigué.

– Québec ! cria l'homme du train en passant près d'André.

Celui-ci s'éveilla en sursaut, essuya son front du revers de sa main pâle, descendit avec les autres passagers sur le quai de la gare. Tout en marchant, il fouilla dans ses poches pour y palper le seul dollar qu'il lui restait, traversa la grande salle d'attente et se trouva sur le « carré » en face de la gare du Palais.

IV

Il était cinq heures de l'après-midi. La même neige molle continuait de tomber. Au reflet des réverbères électriques, André cherchait à s'orienter dans la vieille cité de Champlain, qu'il visitait pour la première fois.

Son mince habit le protégeait mal contre cette intempérie qui l'avait suivi depuis son départ. Il baissa sa casquette de drap sur ses oreilles et enfonça ses mains dans les poches de son pantalon. Il s'arrêta un moment pour contempler le promontoire qui se dressait devant lui, où les maisons semblent accrochées à ses flancs solides. Il traversa le parc en face de la gare et s'engagea dans la côte du Palais, gravissant cette montée d'un pas précipité, comme un homme qui a un but à atteindre dans un temps déterminé. Arrivé à la bifurcation de la rue Saint-Jean, il hésita quelque peu, et partit ensuite du côté est pour tomber sur la côte de la Fabrique qu'il gravit à pas précipités.

Arrivé en face de la Basilique, il s'arrêta songeur, puis accélérant le pas, il traversa la grille de fer et pénétra dans l'église. Il s'agenouilla, dans la demi-obscurité, désirant n'être aperçu de personne.

- Oh ! Dieu qui sondez le fond des cœurs, soyez-moi propice ; guidez-moi dans la vie que je recommence ! Faites que je recouvre mon honneur perdu ! Pour moi ? non, mais pour mes pauvres parents que je ne reverrai peut-être jamais ! Telle fut l'ardente prière qui sortit spontanément du cœur d'André.

Une douce chaleur tiède régnait dans la vaste nef de la Basilique restaurée. Les fidèles venaient nombreux faire leur prière du soir en passant du bureau, ou du magasin, à la maison. Il resta longtemps silencieux, observant ce va-et-vient continuel, en songeant à sa pauvre mère qui ignorait sa libération.

- Oh ! ma chère mère ! Pardonnez-moi si je n'ai pas été me jeter dans vos bras ; mais je n'aurais pu affronter le regard de mon père qui m'a presque maudit en me quittant. Ma première visite aurait dû être pour vous quand même, mais je n'en ai pas eu le courage. Que Dieu est bon d'avoir créé des cœurs de mère ! Eux seuls peuvent comprendre et compatir aux malheurs de leurs enfants. Quand je serai réhabilité, car je le serai ! alors, oui, alors seulement, j'irai me jeter dans vos bras pour vous remercier de votre inaltérable bonté à mon égard.

Il était tout absorbé dans cette pensée, quand le bedeau, faisant sa ronde, vint l'avertir qu'il fermait les portes de l'église.

- Pourriez-vous me dire où je trouverais un gîte pour la nuit ? demanda André au bedeau.

- Vous n'avez pas de parents dans Québec, mon ami ? Il ne manque pas d'hôtels !

- Oui, mais je n'ai pas beaucoup d'argent. S'il y a ici un refuge de nuit, je m'en accommoderai bien en attendant que je trouve du travail.

- Peut-être pourriez-vous trouver de l'ouvrage au Château Frontenac. Avez-vous déjà servi les tables ?

André hésita un moment avant de répondre. Il avait bien en effet servi la table du gouverneur au pénitencier, mais c'était une expérience dont il n'osait se prévaloir en ce moment.

- Oui, dit-il enfin ; j'ai un peu d'expérience, mais pas dans les grands hôtels.

- Ça ne fait rien, c'est mon neveu Joseph qui est en charge de la grande salle à manger. Vous m'avez l'air d'un bon garçon ; attendez-moi ici dans le vestibule, je vais aller fermer les portes à l'arrière et je vous conduirai voir Joseph.

André sortit, chercha un endroit à l'abri du vent du nord qui soufflait avec rage et attendit le retour du bedeau.

- Vous n'avez peut-être pas soupé ? dit celui-ci en rejoignant André.

- Oui... non... non... je n'ai pas soupé, mais je m'en passerai bien, allez. Si vous pouvez me trouver de l'ouvrage, c'est tout ce que je vous demande.

- Alors vous allez venir prendre le souper avec moi. Je soupe toujours tard. J'aime mieux cela ; je n'ai pas à retourner à la Basilique et je suis plus tranquille. Vous savez, on prend des habitudes comme ça et ensuite on pense que tous font comme soi. Tout de même je sais que ce n'est pas une heure convenable à tout le monde, continua le bedeau en manière d'excuse. On n'aura peut-être pas grand'chose à vous offrir, mais...

- Oh ! merci de votre bonté ; je vous assure que je ne suis pas en position de passer des remarques sur ce que l'on m'offre.

Le couple descendit la côte de la Fabrique, tourna à droite sur la rue Couillard et le bedeau alla frapper à la porte de son logis.

- Je t'amène de la visite, dit le bon vieillard à sa femme, quand celle-ci vint lui ouvrir la porte.

- C'est bien, mon vieux, très bien, pourvu que le Monsieur ne soit pas trop difficile.

- Soyez tranquille, Madame, vous verrez que votre pensionnaire d'un soir s'accommodera bien de votre cuisine.

Le bedeau offrit un fauteuil à André qui s'y laissa choir. Les chromos et les portraits de famille, suspendus au mur du modeste vivoir du vieux couple, attirèrent son attention.

- Ça vous intéresse, ces portraits ? dit le père Coulombe. Voici le portrait de mon père ; un homme bien planté, comme vous voyez. Ça, c'est celui de ma mère, une belle figure, hé ! Elles sont toutes belles nos mères ! Celui-ci, c'est notre portrait de noces. J'étais plus jeune qu'aujourd'hui, dit le vieux en badinant.

- Mais pas plus beau ! cria Mme Coulombe du fond de la cuisine en riant abondamment.

- Ce n'est pas la beauté qui apporte à dîner, ma vieille, répondit le père Coulombe en appuyant sur les mots.

- Quant à ça, mon vieux, c'est bien vrai, car je n'ai pas souvent manqué de dîner. Ah ! si seulement j'avais été meilleure cuisinière, peut-être que j'aurais fait encore mieux ; mais, ajouta-t-elle, toujours en taquinant son vieux : une belle femme ne donne que ce qu'elle a ! J'ai toujours passé pour belle femme !

- T'as bien raison !

- Je ne lui ôterai pas ses illusions. Elle s'est toujours crue belle, dit-il tout bas à André ; je ne la contredis pas, ça lui fait tant plaisir !

- Prenez-vous de la soupe aux pois, cria Mme Coulombe en s'approchant de la table ; elle est faite au lard. C'est la soupe favorite de Louis. Je ne sais pas si vous « allez l'aimer » ; mais lui, il ne faut pas lui parler d'autre soupe que la soupe aux pois. Il y a des fois que je viens « tannée » de toujours faire la même chose ; mais il aime tant ça ! Tiens, mon petit, si tu ne l'aimes pas tu la laisseras, Louis la mangera.

André, qui goûtait fort cette petite scène familiale, mangea avec appétit les mets plus ou moins savoureux de sa bonne hôtesse.

– Fumez-vous, jeune homme ? dit le bedeau en sortant de table.

– Non, Monsieur, je ne fume pas.

– Vous êtes parfait, alors ! Moi il y a deux choses dont je ne saurais me passer : ma femme et ma pipe ! mais entre nous, dit-il tout bas, j'aime encore mieux ma pipe ! Je fume depuis l'âge de dix ans.

– C'est pour ça que tu es resté « coléreux ». Ça doit être un jeune homme sans défaut, dit-elle, en regardant André ; aussi quand il sera marié, au lieu de chercher toujours sa pipe il cherchera sa femme.

André baissa les yeux et ne répondit rien aux remarques de la vieille.

V

Trois ans auparavant sur la ferme des Lescault

La belle maison de Pierre Lescault, à Verchères, n'avait plus l'apparence des jours heureux, où la famille entière, les soirs humides d'automne, réunie autour du grand foyer confectionné de pierres des champs, regardait brûler les longues bûches d'érable ou de merisier vert, ou même, par les grands froids d'hiver, autour du « poêle à deux ponts », écoutant le pétillement des bûches de bois sec, que le père Lescault renouvelait sans cesse à mesure qu'elles se consumaient.

Une atmosphère d'aisance régnait dans cette vieille maison de pierres grises. Sise sur une pointe avancée en bordure du grand fleuve, elle donnait une vue superbe de la rivière et des fermes environnantes.

La terre elle-même semblait morne et sans vie. Depuis que l'épreuve était venue frapper à la porte de cette famille patriarcale, on aurait dit que la tristesse de l'âme familiale s'était infiltrée dans le sol par sympathie pour le maître éprouvé.

Les voisins avaient fui la compagnie des Lescault, par une espèce de sympathie voisinant la gêne.

Avec quelle inquiétude avait-on attendu le retour du père à la ferme ! La figure collée aux petits carreaux de la fenêtre donnant sur le Chemin du Roi, Mme Lescault y avait adhéré anxieusement toute la journée. Elle nourrissait l'espérance de le voir revenir avec leur fils, libéré de la terrible accusation qui pesait sur lui. Vain espoir ! Elle vit enfin venir, vers les six heures, la grande jument blanche, au petit trot, alors que la « brunante » s'annonçait déjà. Son mari était bien seul, mais peut-être qu'André était resté à la ville pour reprendre sa position ou pour arranger de petites affaires. Sûrement que le train du lendemain le ramènerait à la maison et avec quelle joie elle le recevrait dans ses bras.

Pierre Lescault rentra à la maison la tête basse et l'air songeur.

– « Allez dételer la Blanche, les garçons », furent les seules paroles que put prononcer le vieux fermier.

– André n'est pas avec toi ? questionna timidement la pauvre femme.

– André ! Que ce nom ne soit plus prononcé dans la maison ! riposta le père d'un air farouche.

– Mais ?

– Il n'y a pas de mais !

– Mais enfin nous diras-tu pourquoi ? dit la mère ne pouvant contenir son émotion.

– Pardon, j'ai peut-être été un peu brusque ; mais mon âme est dans un état que tu ne peux concevoir. Je te raconterai cela plus tard. Je veux que tous les enfants soient présents, d'abord pour m'éviter la douleur d'une répétition et, ensuite, pour que la leçon leur profite.

– C'est très bien ! As-tu soupé, tu dois avoir faim ? dit nerveusement Mme Lescault.

– Un peu, je n'ai pas mangé depuis le matin. Après le procès, il a fallu aller chez le notaire.

– Chez le notaire ?

– Oui, eh bien... oui... chez le notaire ! Pour hypothéquer la terre !

– Pour hypothéquer la terre ? je n'y comprends plus rien !

– Eh bien, moi, je ne comprends que trop ; nous sommes ruinés, et il va nous falloir quitter Verchères !

Un moment de silence et d'énervement suivit cette remarque du fermier qui s'accouda sur ses genoux et prit sa tête entre ses deux mains.

– Le souper est servi mon vieux, si tu veux t'approcher ?

– Je ne souperai pas !

– Mais... tu viens de me dire que tu avais faim, et maintenant tu ne veux rien prendre ?

– Rien ! fut toute la réponse du père Lescault qui se passait la main dans les cheveux, comme s'il eût voulu les arracher de désespoir.

Les garçons, qui étaient allés dételer la Blanche, rentrèrent à la maison et allèrent s'asseoir à l'autre extrémité de la cuisine.

– Mes enfants, dit Pierre Lescault, se tenant toujours dans la même position, le déshonneur a frappé la famille ; celui qui était votre frère a été condamné à cinq ans de pénitencier, et ce n'est que par considération pour nous que la sentence a été si douce ! Quelle terrible charge a faite le juge ! Ah ! un bon garçon, allez ! il pleurait en rendant le jugement ; mais, comme il disait, il était chargé d'administrer la justice et c'était par devoir qu'il agissait ainsi.

– Mais comment ont-ils pu le trouver coupable ? dit la mère en sanglotant.

– Comment ? dit le fermier en relevant la tête et regardant sa femme d'un air menaçant. Tu doutes encore, toi !

– Mais j'ai bien le droit de douter, puisque je ne connais rien.

– C'est vrai ! je ne t'ai encore rien raconté. J'ai eu tellement honte, que je m'imagine que tout le monde connaît les détails de l'affaire ! Ç'a été si terrible pour moi ! Après avoir entendu la preuve, il n'y a plus à en douter !

– Mais enfin nous laisseras-tu bien longtemps en suspens, veux-tu nous faire mourir à petit feu ?

– Eh bien, puisque vous le voulez... Vous savez que la Banque du Canada, sur la rue Sainte-Catherine, à Montréal, là où il travaillait, a été cambriolée en pleine après-midi, le dimanche 6 septembre. Celui qui était autrefois mon fils a été vu par vingt témoins, qui sont venus jurer, les uns après les autres, l'avoir vu sortir de la cour de la banque, sauter dans une automobile accompagné d'un autre et aller se cacher dans un cinéma. Ah ! les cinémas le dimanche, voilà à quoi ça sert : souvent à cacher des voleurs, plus souvent à enseigner le vol ! Il a prétendu qu'il était parti directement de sa pension pour le cinéma. Vous comprenez que ça n'a pas pris devant les témoignages probants que la Couronne a produits. Un jeune homme, de ses amis, est bien venu jurer qu'il était parti directement de sa pension avec lui pour le cinéma, mais le juge l'a traité de parjure, et il avait raison. Qui sait ? c'était peut-être son complice. Personne cependant n'a pu jurer que c'était lui qui était sorti de la banque avec André, car il avait rabattu sa casquette sur ses yeux et s'était pas mal « défiguré ». Le vol ayant été découvert immédiatement, la police fut avertie. Au sortir du cinéma, il fut appréhendé et mis sous arrêt. Vous connaissez le reste : sa lettre de lamentations, proclamant son innocence, et me priant d'aller à son secours, etc., etc. Ah ! j'aurais bien dû suivre ma première idée : le laisser se débattre tout seul.

Nous ne serions pas ruinés comme nous le sommes, mais quand c'est notre sang qui parle ! Heureusement que je l'ai renié ; ce n'est pas un Lescault celui-là ! Maintenant il nous reste à vendre la ferme et le « roulant » et à partir pour les États.

– Tu n'y penses pas, Pierre ! à ton âge ! dit Mme Lescault en sanglotant.

– Il n'y a pas d'âge devant la honte ! Comment veux-tu que j'aille à la messe dimanche prochain ? Est-ce que je vais être capable d'envisager « le monde » après une affaire pareille ?

– Nous irons à la messe à Varennes, si tu veux, ou encore à Boucherville, si tu préfères.

– Oui, pour faire face à l'oncle Jean, qui ne badine pas avec l'honnêteté, lui qui se cache pour prêter son argent afin que personne n'en ait connaissance ; si tu crois que ça me sourit ! Non, mille fois non ! J'aime mieux faire face à la musique à Verchères ; mais, ajouta-t-il avec fermeté, nous vendrons la ferme et nous partirons d'ici.

– C'est bien, mon vieux, nous partirons puisque tu l'exiges, mais pour l'amour du bon Dieu, pas pour les États.

– Pourquoi pas ? C'est grand les États, il y a de la place pour s'y cacher toute la famille.

– Et les garçons que tu as établis sur des terres, crois-tu qu'ils vont te suivre ? En fin de compte, ce n'est toujours pas de notre faute si le jeune a fauté, il n'avait que dix-neuf ans !

– À dix-neuf ans, j'étais marié, et je labourais la terre que nous allons quitter. Ce n'est pas notre faute, dis-tu ? Oui et non ! Nous ne l'avons peut-être pas voulu, si ; mais nous en sommes certainement la cause.

– Comment ça ? Ne l'avons-nous pas élevé comme les autres ?

– Non ! nous avons voulu en faire un petit monsieur, et tu vois ! Les Lescault, c'est fait pour la terre ! Dix générations se sont penchées vers elle pour lui demander la subsistance et elle a répondu généreusement. Le premier qui lui tourne le dos tourne mal ! Voilà l'erreur que nous avons commise ! Enfin, puisque tu ne veux pas qu'on parte pour les États...

– Non, un déraciné, comme tu dis, c'est assez. Douze, ce serait un désastre !

– Et puis ?

– Songe que tu as encore douze enfants à la maison !

– C'est vrai, assez pour fonder une paroisse au Lac-Saint-Jean ou en Gaspésie.

– Tu auras bientôt soixante-cinq ans ! Mais enfin je préfère encore cela aux États-Unis ; au moins nous serons avec les nôtres.

– Nous avons encore six grands garçons qui ne demandent qu'à travailler ; ça peut en faire de la terre dans un an !

– Prendre une terre en « bois debout », habiter une cabane, ce n'est pas ce qu'il y a de plus invitant, dit Mme Lescault en guise de conclusion.

Il y eut un moment de silence. Tout le monde regardait avec un air de tristesse ces murs familiers qu'il leur faudrait quitter pour toujours.

– Prendre une terre « en bois debout », reprit Pierre Lescault songeur. Oui... il ne faut pas trop appuyer sur le mot. Le bois, on prend ce qu'il en reste ; après que les grandes compagnies forestières ont passé, c'est un peu comme si le feu avait tout ravagé. Enfin on prend ce qui reste, avec les chicots et les branches sèches. En dessous, la terre est là, la bonne terre de Québec, fertile, abondante et n'attendant que des bras pour la retourner et lui arracher les richesses qu'elle recèle.

– Et nous abandonnerions la terre ancestrale sur laquelle nous avons élevé notre famille ? continua Mme Lescault sans se décourager.

– Oui, mais ne comprends-tu pas que c'est le meilleur moyen de cacher notre honte ?

– Et Arthur qui est établi près d'ici, marié et en bonne voie de prospérer, Louis et François qui se sont acheté des terres à Varennes, tout près de chez nous ; la famille va se trouver pas mal dispersée !

– Bah ! Quand nous serons établis, nous leur ferons réserver des lots à proximité des nôtres et ils viendront nous rejoindre plus tard. Crois-tu qu'ils vont tenir tant que cela à demeurer par ici après une chose pareille ?

– Tu sais, mon vieux, que j'ai toujours accepté tes décisions, dit Mme Lescault plus résignée ; réfléchis encore et, si tu ne changes pas d'idée, nous vendrons la terre et nous partirons.

La bonne femme jeta un dernier regard attendri autour de cette maison confortable qui avait été témoin de ses joies et de ses peines. Elle espérait toujours que son mari ne donnerait pas suite à son projet, mais elle était désormais résignée à le suivre là où il planterait sa tente.

VI

L'encan

Le dimanche suivant, à la porte de l'église de Verchères, le crieur public annonçait l'encan chez Pierre Lescault pour le lundi en huit.

– Vous êtes tous invités, là, les amis, à vous rendre à la ferme Lescault pour lundi en huit, dit le crieur. Rien que le grand monde, pas d'enfants !

– Nous irons pareil, cria un gamin de toute la force de ses poumons.

– Emplissez vos poches d'argent, car c'est un fameux « roulant » qui va se vendre là : trente-cinq vaches à lait, six chevaux de trait, deux chevaux de voitures légères, vous savez comme les garçons étaient bien « gréés » de voitures pour aller voir les filles. Il y a aussi de belles taurailles, des cochons, des moutons de race ; on va vendre jusqu'aux poules !

– Allez-vous vendre le chien ? cria le même gamin.

– À part cela, il y a un « gréement » complet de machines agricoles, telles que moissonneuse-lieuse, faucheuse mécanique, râteau à cheval, semeuse, épandeur (on mettra le gamin qui m'a interrompu dedans), des charrues, des herses, et tout ce dont un « habitant » peut avoir besoin. Y en aura pour tous les goûts. Une partie du ménage sera vendue, de sorte que les femmes auront aussi leur choix. Le beau piano neuf sera mis à l'enchère comme les autres articles superflus. N'oubliez pas la journée : lundi en huit.

– Pauvre Pierre ! c'est bien de valeur de se faire « dégréer » comme ça par un mauvais garçon qui lui avait déjà coûté les yeux de la tête, dit un brave « habitant » qui avait écouté énumérer les articles offerts en vente.

– « Quoi » veux-tu ? répondit son voisin. Ils ont voulu en faire un petit m'sieur ! En ville ça passe les dimanches dans les... comment nommes-tu ça ? les ci... les...

– Les cinémas, je pense.

– Oui c'est ça, les... comme tu dis... les... cinémas. Dans les premiers temps qu'il était à Montréal, il venait passer tous les dimanches « chez eux », puis il s'est mis à espacer ses dimanches, pour aboutir enfin à ce qu'on sait.

– Comme ça, c'est ben vrai ce que l'on dit de lui ?

– Tu n'as pas lu les journaux ?

– Ben, je ne lis plus ; ma vue n'est pas très bonne et ces histoires de crime là, ça me révolte, quand je vois que c'est toujours le dimanche que ça arrive.

– Vraiment on est mieux « habitant », José ! Mais Pierre, sais-tu quel « bord » il va prendre ?

– J'ai entendu dire qu'il s'en allait aux États, travailler au son de la cloche comme un esclave. Pauvre Pierre ! à son âge.

– Moi j'ai ouï dire qu'il s'en allait ouvrir une terre dans l'Abitibi, mais j'pense ben m'tromper, c'est pas rose ça, non plus !

– En tout cas, c'est toujours moins triste que de partir pour les États ! Laisser une si belle terre ! Ça va s'ennuyer ce monde-là, si loin, sans connaissance de personne. Se planter au milieu des souches ou en plein bois, après avoir habité sur les bords du Saint-Laurent si longtemps ! J'aime autant pas être à sa place.

Les deux compères continuèrent leur chemin en causant sur le sort de leur ancien voisin.

VII

Le lundi, à l'heure annoncée, une foule de cultivateurs de la paroisse remplissait la cour en face de la vieille maison grise. Les groupes conversaient à mi-voix, comme si on eût voulu respecter la douleur qui s'était appesantie sur la famille.

L'encanteur, qui avait subi un contretemps par une panne d'automobile, arriva un peu en retard, au moment où la foule commençait à s'énerver. Il enleva son pardessus à la hâte et monta sur une table placée sur la galerie, pour mieux dominer la foule.

– Nous allons commencer par vendre les « cochonneries », dit l'encanteur en manière d'introduction.

La vaisselle, les plats, la coutellerie furent bientôt adjugés aux plus hauts enchérisseurs.

– C'est au tour des vaches, dit le gros encanteur joufflu qui avait l'air placé en équilibre sur la table chancelante.

– Si tu vends les vaches, t'es mieux de descendre sur leur terrain, cria un loustic. Le piédestal a pas l'air assez solide pour une grosse « estatue » comme toé !

L'hilarité s'empara de l'assistance, malgré que l'on n'eût pas voulu rire en présence de la famille Lescault.

Le gros encanteur descendit en effet de la table, mais resta sur la galerie.

– Ça vous va-t-il, l'ami, comme ça ? dit-il à celui qui l'avait invité à descendre de la table.

– Oui, t'as moins l'air d'une citrouille ! cria un autre assistant.

– Bon ! on s'est assez amusé, continua l'encanteur, qui n'avait guère goûté la repartie du paroissien. On va mettre les vaches à l'enchère. Combien pour la rouge ? Ça c'est une « maîtresse vache » ; ça donne son seau de lait deux fois par jour !

– Quarante piastres ! cria l'un.

– Cinquante, renchérit un autre.

– Cinquante-cinq, dit un troisième.

– Allez-y par dix, fit l'encanteur ; ça marche plus vite.

– Cinquante-six, dit un autre par moquerie.

– Vous devez pas avoir vos dents, vous, dit l'encanteur, car vous mordez pas fort. Voyons, ce n'est pas le temps de plaisanter. Qui dit soixante ? soixante une fois !

– Soixante-dix, cria un autre.

– Là vous parlez, mon ami. Dites donc quatre-vingts, vous là, le grand qu'est si farceur. Quatre-vingts ? quatre-vingts ?

– Soixante-quinze !

– Ça force pour dire soixante-quinze. Quatre-vingts, c'est pourtant pas plus difficile à dire !

– Non, mais c'est plus difficile à payer !

– Soixante-quinze une fois, deux fois... dépêchez-vous ! Trois fois ! Vendue, la rouge, à Jacques Lescault. Marquez ça, le commis.

– Ça doit être son frère, dit l'un.

– C'est peut-être un « enchérisseur à gage », répondit l'autre. Je vais le demander à l'encanteur.

– Écoutez, Monsieur l'Encanteur, dit-il, si c'est pas une vente honnête, si « y a des enchérisseurs à gage », vous êtes mieux de le dire tout de suite et nous allons nous en aller.

– Tiens, qu'est-ce qui vous prend, vous ? Allez donc chercher le docteur, je crois que Monsieur est malade. Il n'a pas enchéri une seule fois et il se lamente. Laissez donc faire ceux qui achètent si vous êtes ici rien qu'en curieux, dit l'encanteur.

L'individu quitta les lieux fort mécontent, en maugréant.

– Je lui ai fait son biscuit, celui-là, dit-il d'un air satisfait. A-t-on jamais vu pareille audace ? C'est pas quand Magloire Croteau encante qu'il permet un « enchérisseur à gage ». Qu'il se le tienne pour dit. Une autre fois il saura à qui il s'adresse.

Les unes après les autres, les pauvres bêtes furent adjugées. Elles beuglèrent chacune leur tour d'un ton lugubre, comme si elles eussent compris qu'elles quittaient pour toujours cette belle ferme, sur laquelle elles étaient nées et avaient atteint leur maturité. Les chevaux passèrent ensuite. La journée suffit à peine pour vendre tous les animaux. Restaient les instruments agricoles, dont la vente fut remise au lendemain. Pendant trois jours la même foule se réunit autour du marteau de l'encanteur, jusqu'à ce qu'enfin tout fût écoulé.

Quand la famille Lescault rentra dans la maison, elle se trouva en face des quatre murs nus de leur spacieuse résidence. Personne ne dit un mot pendant que la mère Lescault prépara le souper, avec les ustensiles que les voisines avaient bien voulu leur laisser, après les avoir achetés et payés.

Pierre Lescault regardait partir chacun avec « son butin », par les petits carreaux de la fenêtre donnant sur le Chemin du Roi.

– J'ai « p'têtre ben faite enne bêtise », dit-il en s'asseyant sur un banc que personne n'avait encore réclamé.

Deuxième partie

I

Quand la mère Coulombe conduisit André à sa chambre et découvrit le lit, montrant les draps d'une blancheur immaculée qui l'invitaient au repos, André pensa encore une fois à sa mère. C'était bien le confort qu'il avait quitté en laissant la ferme pour la ville. Les traits de Mme Coulombe ne lui rappelaient-ils pas aussi celle qui l'avait dorloté pendant son enfance ? Oui, comme avait dit le vieux bedeau : toutes les mères sont belles ! et comme la sienne lui apparaissait ainsi sous l'air jovial de sa bonne hôtesse, qui se montrait une véritable mère pour lui !

Une grosse larme coula des yeux d'André, comme Mme Coulombe se tournait de son côté.

– Tu as de la peine, mon enfant ? lui dit-elle bonnement.

– Vous me rappelez tant ma bonne mère !

– À quel âge as-tu perdu ta mère, mon petit ?

André hésita un peu pour répondre, puis enfin balbutia :

– Je l'ai perdue il y a trois ans.

– Pauvre petit ! Console-toi ! Tu passeras une semaine ici si tu veux. Le vieux va te chercher de l'ouvrage. Il connaît beaucoup de monde ! Ça fait plusieurs qu'il place par l'entremise de Joseph au Château Frontenac.

– Merci, bonne Madame, de votre bonté ; je vous en serai éternellement reconnaissant !

– C'est bien, mon enfant, n'en parle pas et dors bien.

– J'aurais cependant une petite faveur à vous demander et vous avez déjà été si bonne pour moi !

– Dis-le tout de même, répondit la vieille qui tutoyait toujours André.

– Pourriez-vous me donner une feuille de papier et une enveloppe.

– Ce n'est que cela ? Louis ! cria-t-elle, monte donc une feuille de papier à lettre et une enveloppe ! Tu en trouveras dans le petit secrétaire. Monte aussi une plume et de l'encre. C'est pour notre petit pensionnaire.

– Tu sais, si tu aimes mieux écrire rien que demain matin... c'est comme tu voudras. Bonsoir, mon petit, et dors bien.

Quand André fut seul, il donna libre cours aux pleurs qu'il avait refoulés en présence de son hôtesse. Avait-il menti en disant à Mme Coulombe qu'il avait perdu sa mère trois ans auparavant ? En tout cas, il lui expliquerait tout plus tard, quand il aurait trouvé de l'ouvrage.

Non, cette mère qu'il aimait tant et qui n'avait pas oublié son fils n'était pas complètement perdue pour lui. Ce qui paraissait de l'abandon de sa part n'était qu'obéissance à son mari, qui se montrait d'une intransigeance déconcertante quand il s'agissait du coupable.

– Pauvre mère, murmura-t-il en soupirant, je ne puis, quand même, résister au désir de t'écrire.

La main lui tremblait d'émotion quand il trempa sa plume dans le petit encrier que Mme Coulombe avait mis à sa disposition. C'était, lui avait-elle dit, un cadeau qu'elle avait reçu à l'occasion de ses noces d'argent.

– Allons, du courage ! dit-il, en essayant de raffermir ses nerfs.

Québec, le 8 novembre 19...

Madame Pierre Lescault,

Verchères, P. Q.

Bonne et tendre mère,

Permettez au fils plus malheureux que coupable de venir s'appuyer un instant sur votre cœur maternel.

Si je vous apprends ma mise en liberté, grâce à ma bonne conduite, deux ans avant l'expiration de ma sentence, ce n'est pas pour essayer de m'excuser auprès de vous ni de mon père, car je connais trop ses dispositions à mon égard. Blessé profondément dans son orgueil d'homme honnête, il ne méritait pas l'opprobre que lui a valu ma condamnation. À quoi bon vous crier mon innocence, avant que les événements se chargent de me rendre justice ! Je ne compte pas pour cela sur la justice des hommes, mais sur celle de Dieu !

Ah ! si ce bon père connaissait la souffrance que m'a causée cette réclusion, ne dirait-il pas dans un geste de pardon : Reviens, mon fils, reviens vers ton pays, et comme à l'enfant prodigue : Sois le bienvenu dans la maison de ton père ! Que de fois j'ai pris ma plume pour lui écrire et m'accuser comme un coupable, lui disant : Pardon, mon père !

Pardon, à cause de votre douleur, mais chaque fois ma plume tombait de mes mains. S'il était permis à un fils de rappeler son père à la charité, j'aurais ajouté : Pardonnez-moi comme vous voudriez être pardonné vous-même ! Je le voyais humilié et presque ruiné. Et ce regard de mépris qu'il me jeta en me quittant ! Ah ! non, je ne veux plus revoir ce regard terrible ! Plaise à Dieu, cependant, qu'il vive pour voir éclater mon innocence !

Je suis bien décidé, en attendant, de travailler pour lui remettre les sommes qu'il a dépensées pour me défendre ; de cela personne ne m'empêchera, si ce n'est Dieu lui-même !

Le gouverneur m'a dit avoir lu dans les journaux, que vous aviez quitté Verchères avec toute la famille pour aller vous établir sur des terres neuves. J'ai bien deviné le motif de ce dérangement. Chère mère, comme vous avez dû pleurer quand vous avez quitté la vieille maison. Où êtes-vous ? me demandais-je souvent. Je compte sur le maître de poste de Verchères pour vous faire parvenir cette lettre.

Si je ne puis trouver de l'ouvrage à Québec, je me dirigerai vers le Lac-Saint-Jean où, paraît-il, il se fait un grand barrage, à la Grande-Décharge. Là, comme ailleurs, je m'appuierai toujours sur votre cœur de mère, tendre et bon.

Embrassez bien mes frères et sœurs pour moi, sans toutefois leur rappeler le souvenir de leur malheureux frère.

Quant à vous, chère mère, je me blottis dans vos bras et vous baise affectueusement.

ANDRE

P.-S. – Je vous donnerai mon adresse si cette lettre n'est pas retournée et tâchez de trouver le moyen de m'écrire.

II

André dormit d'un profond sommeil sous le toit hospitalier du vieux bedeau de la Basilique.

Il était déjà sept heures du matin quand les pâles rayons du soleil de novembre s'infiltrèrent timidement à travers l'étroite fenêtre de sa chambre à coucher.

Il se leva d'un bond, craignant d'être en retard pour aller chercher de l'ouvrage, car le père Coulombe l'attendait peut-être.

– Voici le premier rayon de soleil du matin que je vois depuis trois ans, se dit André, tout en se hâtant de faire sa toilette. Puisses-tu être de bon augure pour moi. Tu te lèves sur moi, ô soleil ! au matin d'une nouvelle vie que je commence. Merci pour ce rayon, qui réchauffe mon pauvre cœur.

André se hâta de descendre de crainte d'avoir fait attendre ses hôtes.

– J'ai failli passer tout droit, Madame Coulombe, votre lit est si bon !

– Ça ne presse pas, Louis n'est pas encore revenu de sonner l'*Angelus,* et Joseph ne se rend au Château qu'à neuf heures. Mon vieux est matineux, il aime mieux, comme il dit, travailler plus longtemps et moins fort. Je le fais « étriver des fois », je lui dis qu'il est paresseux. Tiens, je t'ai fait cuire deux œufs à la coque. Ça te rappellera quand tu étais petit. Tu devais appeler cela des petits cocos, comme mon pauvre petit Louis, qui s'appelait comme son père.

– Merci, Madame Coulombe. Je ne sais vraiment comment je pourrai vous remercier de toutes ces bontés à mon égard, moi un pur étranger.

– N'en parle pas, va ! Tu me rappelles tant mon Louis qui est mort, il y a à peine un an. Un beau garçon, à peu près de ta taille ! j'espérais bien qu'il ferait un prêtre. Il avait fini ses études et devait entrer au Grand Séminaire, quand l'influenza est venue l'arracher à notre affection...

– C'était un bien bon garçon et qui nous aurait fait honneur, interrompit le père Coulombe, qui venait de rentrer à la maison.

– La raison qui nous faisait croire qu'il ferait un prêtre, continua Mme Coulombe, c'est qu'il avait un grand respect pour le dimanche, et c'est un dimanche que le bon Dieu est venu le chercher.

Le vieux bedeau avait recouvert sa figure de ses deux mains, pour cacher l'émotion intense qui s'était emparée de lui, en repassant ces douloureux souvenirs.

André ne put s'empêcher de pleurer, devant la douleur du vieux couple.

– Je vois que tu as bon cœur, mon petit, dit Mme Coulombe. De nous voir pleurer, ça te fait pleurer aussi. Tu sais, quand on devient vieux et qu'on perd le seul garçon que le bon Dieu nous a donné, ça brise le cœur !

– Oui, mais au moins vous avez la consolation de penser qu'il est parti pour un monde meilleur... tandis que d'autres... Le dimanche n'est pas aussi clément à tout le monde, allez.

– Tout dépend comment on l'observe, dit le père Coulombe.

– En effet, vous avez raison ! On récolte ce que l'on sème !...

– Tu as bien mangé, toujours, mon petit ? interrompit Mme Coulombe. Tu seras plus fort pour aller voir Joseph. Bonne chance, ajouta-t-elle, retournant à sa cuisine en maugréant tout bas : C'est « ben bâdrant » tout de même de faire la cuisine ; on n'a pas fini de déjeuner qu'il faut commencer le dîner. Avec tout ça on n'a pas le temps de parler, et moi qui aime tant ça !

III

À neuf heures sonnant, le père Coulombe, qui s'était endimanché pour la circonstance, partit avec André pour le « Château ».

Comme le neveu Joseph n'était pas encore arrivé, ils s'assirent sur un grand fauteuil et s'enfoncèrent dans les coussins moelleux, regardant passer les habitués du « Château » dans un va-et-vient continuel.

Le chef de salle arriva un peu en retard et ne fut pas vu par son oncle. Celui-ci s'intéressait tellement à renseigner André sur ce qu'il voyait, qu'il avait presque oublié l'objet de sa visite.

– Bonjour, mon oncle, fit Joseph en l'apercevant. Quel bon vent vous amène ? Y a-t-il longtemps que vous m'attendez ?

– Je sais pas ; ma foi on n'a pas trouvé le temps long. Il passe tant de monde ici !

– Oui, il y a beaucoup d'activité. Je ne veux pas vous presser, mon oncle ; mais comme je commence mon quart dans vingt minutes...

– Ah ! oui, parbleu, j'allais oublier. C'est pour le jeune homme qui m'accompagne. Il cherche du travail et j'ai pensé à toi.

– Vous arrivez bien, mon oncle, j'ai besoin d'un garçon de table pour la grande salle à manger. Avez-vous de l'expérience, dit-il à André en se tournant de son côté.

– Oui, un peu ; je ne suis pas un expert, mais peut-être que je pourrais faire votre affaire, répondit-il tout joyeux ; mais oui, je crois que je ferai votre affaire.

– Vous pourrez commencer demain matin. Apportez vos références et vous vous mettrez à l'œuvre immédiatement.

Pour toute réponse André pâlit et regarda le père Coulombe d'un air suppliant, que celui-ci comprit.

– Tu sais, Joseph, je peux te le recommander, c'est un bien bon jeune homme.

– Oui, je comprends, mon oncle, mais les règlements de la maison exigent des références et il faut bien que je les suive.

– Je reviendrai, alors... dit André hésitant, mais non... vaut mieux vous le dire tout de suite, je n'ai pas de références. Je vous remercie quand même de votre bonne volonté à mon égard.

Sur ce, il sortit avec le père Coulombe, mais ne proféra pas une seule parole, en cheminant du Château à la modeste résidence du vieux bedeau.

IV

– As-tu eu de la chance, mon petit ? dit Mme Coulombe comme ils passaient à peine le seuil de la porte. Mon Dieu, plus je le regarde, plus je trouve qu'il ressemble à notre Louis !

– Le petit n'avait pas de références ; tu sais si les règlements sont sévères au Château.

– Si j'avais pu au moins gagner mon passage pour me rendre au Lac-Saint-Jean, dit André en s'affaissant sur une chaise.

Sa réintégration dans la vie ne commençait pas sous les plus heureux auspices. Déjà il s'était heurté à cette première difficulté : vos références ! Oui, en effet, quel certificat pouvait-il offrir pour obtenir même un petit emploi de serviteur ? Il ne lui restait donc qu'à suivre sa première idée : tâcher d'obtenir du travail manuel où il n'aurait plus à subir l'affront qu'il venait d'essuyer.

Pendant qu'André songeait à tout ce passé qui, au lieu de s'effacer, revenait continuellement à la surface, le père Coulombe et son épouse tenaient une conversation animée.

– Pauvre petit ! ne cessait-elle de répéter ; il ne faut pourtant pas le laisser partir comme ça. Tiens, j'ai une idée ! Il veut partir pour le Lac-Saint-Jean, à ce qu'il dit. Si je lui donnais les cinq piastres que j'ai mises de côté pour la Saint-Vincent-de-Paul ?

– C'est une idée ça, ma vieille ! Et j'y joindrai les huit que j'ai mises de côté pour les mêmes fins ! Ah ! tu me fais des cachettes ! continua le bedeau en manière de taquinerie.

– Et toi aussi ! répondit sa femme sur le même ton.

– Ça ne fait rien, puisque c'est dans le même but. C'est bien une permission du bon Dieu quand même. C'est le petit qui va en profiter. Qu'il ressemble donc à notre petit Louis !

– Tu en parles toujours de notre Louis comme si c'était un enfant, un homme de six pieds !

– Pour moi, il est toujours resté le petit. J'm'en suis pas aperçue quand il a grandi. Dis donc, vieux, si je lui donnais le pardessus du petit défunt, les mites vont le manger ! On le vendra pas d'abord sans savoir qui le portera, et il est bien trop grand pour toi. Ça serait une si belle charité ! Si tu veux, je vais le lui offrir.

– C'est pas une mauvaise idée ça !

– Je crois que tu n'as pas mis ton pardessus pour aller au Château, ce matin ? dit-elle à André.

– Pour une raison majeure ! C'est que je n'en ai pas. Quand je suis entré au... pardon, je voulais dire que quand je suis sorti du « Château » j'ai eu vraiment froid en traversant vis-à-vis de la Terrasse.

– Eh bien ! je vais t'en donner un. Je crois qu'il va te faire à merveille. Notre Louis était justement de ta taille.

– Mais, Madame Coulombe, vous avez déjà été assez bonne pour moi, je crains vraiment de vous en imposer.

– Ne te trouble pas, mon petit, dit-elle en courant à la garde-robe où elle gardait précieusement les habits de son fils défunt.

Elle glissa dans les poches du pardessus les cinq dollars qu'elle avait économisés pour la Saint-Vincent-de-Paul et y ajouta les huit de son mari.

– Tiens, essaye ça, petit, dit-elle en s'approchant d'André.

André ne se fit pas prier pour endosser le joli pardessus de drap fin, que la vieille lui glissa sur le dos.

– Il te fait comme un gant ! Ah ! vraiment, c'est le portrait de notre Louis, répéta Mme Coulombe.

André enfouit ses mains dans les poches du pardessus et y palpa les billets de banque.

Est-ce un piège ? se dit-il à lui-même. Puis se ressaisissant :

– Pardon, Madame, vous avez oublié de l'argent dans la poche.

– Eh bien ! s'il y a de l'argent dedans, c'est le bon Dieu qui l'a mis là !

– Ça ne m'appartient pas tout de même.

– Elle se croit le bon Dieu, marmotta le vieux bedeau.

– Garde ça, mon petit, si tu t'en vas au Lac-Saint-Jean, ce n'est pas à la porte.

– J'ai tout compris, Madame Coulombe. Il n'y a que des cœurs de mère pour comprendre les malheureux. Permettez que je vous embrasse avant de partir. Si le sort me favorise, je vous remettrai ce montant.

– Ne t'occupe de rien, tu sais, c'est notre argent de la Saint-Vincent-de-Paul.

À ce nom de Saint-Vincent-de-Paul, André éprouva un léger frémissement, qu'il réprima aussitôt. Il fit ses adieux au vieux couple, en promettant de leur donner de ses nouvelles aussitôt qu'il serait placé.

Il s'achemina lentement vers la gare du chemin de fer, en songeant aux bontés de M. et Mme Coulombe. Il prit soudain la résolution de changer son nom, pour n'avoir pas à se heurter contre un passé qu'il voulait oublier. Il s'appellerait désormais André Selcault. Il suffisait, en effet, de renverser les trois premières lettres de son nom pour qu'il fût méconnaissable.

V

Le train de Chicoutimi quitta le quai de la gare à dix heures précises du soir. André s'installa sur une banquette du wagon de deuxième, où déjà plusieurs jeunes gaillards avaient pris place.

La puissante locomotive ébranla le train, puis, haletante, gravit péniblement la pente continue qui s'étend bien au delà de la Jeune-Lorette.

Le train portant les voyageurs était sorti de la ville au milieu de l'éblouissement des réverbères électriques, mais l'obscurité de la nuit ne laissait plus percer que les faibles lumières des maisons de fermes, où l'on veillait encore. ,~ Ici et là, un petit village mal éclairé offrait peu d'intérêt.

À l'intérieur du wagon de deuxième, de gais lurons s'amusaient ferme pour tuer la longue nuit sans sommeil qu'ils avaient devant eux. Quelques-uns essayèrent de lier conversation avec André, mais il se contenta de répondre poliment à leurs questions.

Encore tout ému des bontés de Mme Coulombe, sa pensée se reportait sans cesse vers elle et vers sa mère. Elle avait peut-être déjà reçu sa lettre. Quelle impression avait-elle produite ?

Le train continua de gravir la montée incessante jusqu'à ce qu'il eût atteint la hauteur des terres au Lac-Édouard. Une chaleur suffocante régnait à l'intérieur du wagon. Au dehors, la lune qui venait de se lever éclairait faiblement la forêt à travers laquelle le train cheminait péniblement, longeant de nombreux lacs et rivières. La neige couvrait déjà le sol, annonçant que l'hiver était proche.

La locomotive sembla faire moins d'efforts quand elle prit l'autre versant des Laurentides et la vitesse du train s'accéléra considérablement. Ayant subi un retard à la Rivière-à-Pierre pour faire le raccordement avec le train de Montréal, le Lac-Bouchette ne fut atteint qu'au lever du soleil, qui arrosait de ses pâles rayons les eaux calmes du petit lac. La grotte de Notre-Dame-de-Lourdes, sise de l'autre côté, se profilait élégante sous un ciel azuré et baignait son ombrage dans le miroir limpide sis à ses pieds.

Une heure de trajet additionnel les transporta à Chambord. Les eaux bleues du lac Saint-Jean servaient de miroir nouveau au soleil qui remontait lentement le firmament dans sa course vers l'occident.

Le train longea longtemps le lac qui ressemble plutôt à une mer intérieure. Le petit bateau de Honfleur, le *Péribonka,* filait à toute vapeur dans le lointain. Pas la moindre petite brise ne venait hérisser la surface plane de cette immense nappe d'eau, si ce n'est le sillon du petit navire qui laissait derrière lui un V immense.

– Hébertville ! cria tout à coup le chef du train.

Presque tous les passagers de seconde sautèrent en bas du train et André se trouva mêlé à eux sur le quai de la gare.

Une nuée de cochers se rua sur les voyageurs.

– Ici pour l'Isle Maligne ! criait-on de tous les côtés à la fois.

– Si vous voulez vous faire « mener en monsieur », par ici, etc., criait un conducteur de taxi. Eh ! le jeune homme (s'adressant particulièrement à André). Il y a de la place pour un de plus. Ça ne vous coûtera pas cher. À quatre ça vous coûtera rien que deux piastres.

André s'informa du chemin et partit à pied pour parcourir la distance de neuf milles qui sépare Hébertville de l'Isle Maligne. Comme il n'avait pas de bagage, la marche ne fut pas trop pénible, quoique les chemins encore primitifs de cette époque n'offrissent pas grand avantage aux chemineaux, surtout à cette saison de l'année.

Il s'arrêta dans une ferme pour dîner et se reposer. Comme il passait des milliers de gens lors de la construction du grand barrage, on était toujours curieux de savoir l'histoire des passants. On questionna fort importunément ce pauvre André qui répondit le plus poliment possible aux questions de ses hôtes, sans les froisser ni se compromettre.

Que de misères sont allées se cacher à Saint-Joseph-d'Alma pendant cette construction ! misères morales surtout. Le cosmopolitisme de l'endroit aidait à cette sorte de retraite fermée où le passé compte peu et où l'avenir est incertain.

André atteignit enfin Saint-Joseph-d'Alma, lieu de ralliement de toutes les activités de l'Isle Maligne, et commença à chercher un gîte.

VI

Les quelques dollars que Mme Coulombe avait glissés dans les poches du pardessus d'André lui permirent de se chercher une pension. Comme il était très fatigué, il alla frapper à la première enseigne.

Après s'être introduit et avoir annoncé le but de son voyage, la maîtresse de pension lui apprit que la Compagnie qui construisait le barrage hébergeait ses employés.

– Vous n'avez pas d'objection à m'héberger pour la nuit, dit André.

– Non, mais c'est payable d'avance !

– Et combien pour le coucher et le déjeuner ?

– Ma foi, vous n'avez pas l'air d'un homme bien « en moyens » ! Une piastre, c'est-i trop ?

– Non, merci, j'accepte, voici votre écot.

– Quel est votre nom, Monsieur ? On aime toujours à savoir qui on héberge !

– André Selcault, Madame.

– Selcault, c'est-i anglais, ça ?

– Non, Madame, c'est bien français.

– Je vais vous dire, il y a tant de McDonald, de McFarlane, de Croft, de Foster, de Drassel, au Lac-Saint-Jean, qui portent des noms écossais et qui sont des « Canayens » comme nous, qu'on ne sait plus les distinguer. Vous savez, il ne me reste plus qu'une chambre, sous le toit. On l'appelle la chambre de Napoléon. C'est un Français qui a pensionné ici qui l'a baptisée comme ça. Il disait que ça lui rappelait la chambre de Napoléon Ier, qui avait habité sous un toit en arrivant à Paris. Ces Français-là, ça parle tant ; il faut en croire et en laisser.

– Eh bien ! je dormirai dans la chambre de Napoléon ! dit André en riant d'un franc rire qu'il n'avait pas connu depuis trois ans.

– Je ne sais si la chambre de Napoléon était chaude, mais celle-ci ne l'est pas. Vous pourrez laisser votre porte ouverte. C'est tout du monde « d'adon ». C'est tous des « Canayens » qui pensionnent ici.

Les « Pollocks », c'est peut-être du « ben » bon monde aussi, mais on est toujours mieux avec les siens.

– Y en a-t-il beaucoup de ces Polonais qui travaillent au barrage ?

– C'est rien que ça des « Pollocks ». Aussi je doute fort que vous trouviez de l'ouvrage là, car ils n'aiment pas à employer les « Canayens ».

– Et pourtant donc ? Nous sommes pourtant chez nous, dans notre pays !

– Oui, mais « c'est » des Américains qui construisent le barrage. Ne me demandez pas en quel honneur ; je ne le sais pas, mais c'est pas des gens « d'adon » ces Américains. Ils viennent ici s'emparer de nos biens et quand on va leur demander de l'ouvrage, bernique ; si un « Pollock » arrive, par exemple, vite on lui donne une place. Vite un pic et une pelle pour lui ; quant aux autres, vous reviendrez demain. À la fin ils se « tannent » et ils s'en vont. C'est pas plus malin que ça.

– Mais m'expliquerez-vous pourquoi ? Les Canadiens sont de bons travailleurs.

– Vous ne voyez pas ? Moi je comprends ça comme ceci : si un « Canayen » se noie, ça fait invariablement un procès et la Compagnie est obligée de payer, tandis que si c'est un « Pollock », on le laisse disparaître et tout est dit. Sa famille n'en aura jamais ni vent ni nouvelle.

– S'en noie-t-il beaucoup comme ça ?

– Ah ! grand Dieu ! Il ne se passe pas de dimanche sans qu'il s'en noie un ou deux.

– Alors on travaille le dimanche ?

– Bah ! ces hérétiques-là, qu'est-ce que ça leur fait le dimanche ; ça ne fait même pas de religion. Si j'ai un conseil à vous donner, jeune homme, n'allez pas travailler là, ça ressemble trop à l'enfer,

– Et vous dites que les noyades arrivent surtout le dimanche ?

– « Immanquablement », mais ce que je trouve drôle, moi, c'est que le bon Dieu punisse ces pauvres malheureux qui ne demanderaient pas mieux qu'à se reposer et que les mécréants qui les forcent à travailler s'en tirent indemnes !

– C'est qu'eux ont bien soin de ne pas s'exposer !

– C'est peut-être ça, mais ça m'a pas l'air juste, pareil.

– Dieu les attend ailleurs !

– Je l'espère, sans quoi je m'demande où serait la justice. C'est justement ce que disait le curé dimanche dernier. Que c'est donc malcommode de ne pas avoir d'instruction ! J'ai compris ça rien qu'hier ce que le curé avait dit. Je suppose que vous êtes instruit, vous, parce que vous m'avez l'air de parler en « tarmes » comme M. le curé. Vous savez, c'est demain dimanche. Pour quelle messe voulez-vous que je vous éveille ?

– En effet, j'avais oublié. À voyager on perd la notion du temps. À quelle heure est la messe ?

– Il y en a « partant » de cinq heures pour les travaillants, jusqu'à la grand'messe qui est à dix heures.

– Alors laissez faire, je m'éveillerai bien seul. Bonsoir et bonne nuit.

– Bonne nuit, Monsieur. Vous savez, laissez votre porte ouverte. Y a pas de danger.

La maîtresse de pension descendit ensuite à la cuisine pour y terminer son ouvrage et préparer le déjeuner pour le lendemain.

VII

Le lendemain matin André se leva de bonne heure. Il en profita pour aller à la messe des « travaillants ». D'abord, se dit-il, je remplirai le précepte et ensuite cela me permettra de m'acclimater et de me familiariser avec les us et coutumes de la localité.

Il s'arrêta sur le perron de l'église, qui était encore vide au moment de son arrivée.

Les uns après les autres, les ouvriers, parlant les langues les plus variées, commencèrent à arriver. Ils pénétrèrent dans l'église, prenant place indifféremment dans un banc ou dans l'autre. Les Polonais blonds à l'allure un peu gênée, quelques Scandinaves au regard langoureux, des Italiens vifs et bruyants, plusieurs Irlandais à la figure joviale, très peu de Canadiens-Français et nombre d'autres nationalités remplirent bientôt la nef. Quelques-uns portaient leurs habits de travail pendant que d'autres étaient endimanchés. C'était la Tour de Babel, la confusion en moins, car tous baragouinaient assez d'anglais pour se comprendre entre eux.

André pénétra dans l'église un des derniers, pendant que le prêtre montait à l'autel. Sa curiosité l'avait mal servi, car il eut de la difficulté à se trouver une place de banc. Une atmosphère de piété avait envahi l'église en même temps que la foule. L'universalité de l'église était bien représentée dans cette agglomération de nationalités si disparates, unies dans un même culte, adorant le même Dieu. Le curé fit les annonces en un anglais plus ou moins correct que personne ne sembla comprendre, excepté les Irlandais et quelques Canadiens. À cette messe particulière, le curé ne faisait les annonces que pour la forme, et en anglais, sachant n'être pas compris.

La quête révéla une grande générosité chez les assistants, car les corbeilles furent remplies.

Après la messe plusieurs firent brûler des cierges, d'autres des lampions. Un grand Polonais qui n'avait pas l'air très pressé arriva en retard et menaça de faire une scène, parce qu'il n'y avait plus de place pour son offrande de lampions dans le lampadaire.

La messe finie, André se rendit à déjeuner et paya sa pension d'avance pour une autre journée. Comme l'inactivité lui pesait, il résolut d'aller faire une promenade vers le barrage pour voir ce qui s'y passait, bien décidé cependant à ne demander de l'ouvrage que le lundi.

– Ce sera toujours un dimanche de moins à travailler, se dit-il.

Il s'engagea sur la voie du chemin de fer servant à la construction, pour se rendre au lieu du barrage. Il s'arrêta sur le bord de la falaise surplombant le torrent, dans lequel se précipitait l'eau de la Grande-Décharge, écumant, faisant un bruit infernal. Ce bruit se mêlait à celui des locomotives et des centaines de feux de forge qui crachaient une fumée noire, enveloppant des milliers d'ouvriers. Ces hommes portaient chacun un numéro leur donnant l'allure d'esclaves, ou plutôt de pénitents de pénitenciers. Quelques-uns poussaient des brouettes remplies de charbon pour alimenter les feux. Des forgerons frappaient à tour de bras le fer rouge sur l'enclume. Les employés au chemin de fer précipitaient d'innombrables barres d'acier d'un convoi, pendant que d'autres déchargeaient des sacs de ciment par milliers. Des locomotives traînaient de la roche cassée ou du béton dans d'immenses cuves que des grues basculaient dans des formes de bois, à mesure qu'elles arrivaient. Le tout exécuté sous le commandement sévère et brutal de contremaîtres sans entrailles. Vrai troupeau humain conduit par des brutes à face humaine.

André tressaillit d'horreur à la vue de cet enfer vivant. Valait-il la peine de soupirer après la liberté, quand l'esclavage le guettait ? Il lui faudrait pourtant demander du travail puisque ses fonds étaient épuisés.

Attiré par ce gouffre dont il désirait connaître la profondeur, il s'engagea dans le long escalier de bois et descendit jusqu'au fond du précipice. Il s'approcha aussi près que possible du torrent impétueux qu'il avait à ses pieds. Une poussière de vapeur produite par l'eau qui frappait les rochers bordant la rivière retombait en pluie fine sur les travailleurs. La poussière de charbon mêlée à la poussière d'eau, collée sur les figures, donnait l'aspect de nègres à cette ruche humaine.

Tout à coup une immense clameur partit de la foule des travailleurs et des spectateurs, qui venaient nombreux, le dimanche, suivre les travaux en cours pour constater les progrès d'une semaine à l'autre.

– Un « Pollock » à l'eau ! cria-t-on du haut de la falaise.

Un ouvrier qui était sur le pont du chemin de fer, ayant perdu l'équilibre, était tombé dans le torrent.

– C'est un Polonais, disaient les uns.

– C'est un Scandinave, disaient les autres.

– C'est le numéro 44, cria le contremaître.

– Alors c'est Jack Brown, un Anglais, dit quelqu'un qui connaissait son numéro pour être son compagnon de chambre.

– Allons, ne perdez pas votre temps, là, dit le contremaître d'un air de colère.

André, qui était près du contremaître, avait commencé à enlever ses habits pour aller au secours de Brown. Étant revenu à la surface, celui-ci s'était accroché à une branche qui pendait au-dessus du torrent.

– Que fait cet homme ici ? dit-il en observant André qui se préparait à aller au secours du malheureux qui, la figure contorsionnée, restait suspendu au-dessus du gouffre. Le charpentier descend-il de son échafaud pour un clou qu'il échappe, dit-il à André ; vous faites perdre le temps des hommes avec vos airs de bravoure !

– Si le charpentier ne descend pas de son échafaud, les lâches y montent, dit André en se précipitant à la nage dans la rivière.

– Insolent ! Qui a laissé pénétrer cet étranger ici ? dit le contremaître.

Sur l'entrefaite arriva l'ingénieur en charge des travaux.

– Vite, tous à l'œuvre pour sauver ces deux malheureux, dit-il. Quel est celui qui s'est précipité à l'eau pour sauver l'autre ? Évidemment qu'il ne connaissait pas la profondeur de l'eau ; mais c'est un héros tout de même ! Lancez des câbles avec des flottants de liège, ajouta-t-il.

Au même instant une quinzaine d'ouvriers suivirent les bords du précipice avec des câbles.

Pendant ce temps Brown avait lâché prise, mais André arriva juste à temps pour l'empêcher de se noyer. André, qui était nageur émérite, réussit à le ramener au bord, sans l'aide de personne, bien qu'il fût sans connaissance.

Les ouvriers lancèrent les câbles. André y attacha solidement Brown que l'on remonta à terre. Il passa un autre câble au-dessous de ses bras et on le hissa sur la terre ferme.

Comme on était au milieu de novembre, André tremblait de tous ses membres quand il mit le pied sur le haut de la falaise.

– Conduisez ces deux hommes à l'hôpital, dit l'ingénieur, après avoir administré une remontrance à l'inhumain contremaître. Vous viendrez demain chercher votre paye, lui dit-il. Je comprends maintenant les plaintes nombreuses qui m'arrivent. Ne voilà-t-il pas que les journaux de Montréal contiennent de nombreuses plaintes de brutalités commises ici sur les lieux. Je n'y ajoutais pas foi, mais maintenant je sais à quoi m'en tenir ! Quant au jeune brave qui s'est jeté à l'eau, je désire le voir aussitôt qu'il sera suffisamment rétabli.

André fut reçu aux applaudissements des travailleurs qui lui manifestèrent leur sympathie.

– Il faut que j'aille faire sécher mes habits, dit tout simplement André.

Il se dirigea vers l'hôpital où on lui donna les soins voulus avec son compagnon. Celui-ci reprit bientôt connaissance et chercha son bienfaiteur pour le remercier.

Tout le monde fut frappé de la ressemblance des deux jeunes garçons qui se trouvèrent ensemble à l'hôpital.

– À qui dois-je la vie ? dit Jack Brown, s'adressant en anglais à André.

– Je me nomme André Lescault, dit-il, oubliant qu'il avait changer son nom en Selcault. Je vous demande pardon, Selcault est mon nom, ajouta-t-il.

Jack Brown devint pâle comme la mort et s'évanouit de nouveau.

– Il doit avoir une blessure interne, dit le médecin qui avait été appelé d'urgence.

André frissonnait continuellement et le médecin ne pouvait réussir à le réchauffer. Ils le frictionnèrent d'alcool et l'enveloppèrent dans de chaudes couvertes de laine, mais la fièvre s'empara quand même de lui.

Pendant de longues semaines il fut entre la mort et la vie. La garde-malade préposée à l'hôpital d'urgence ne le quittait que pour faire les pansements aux blessés qui toujours de plus en plus nombreux rentraient à l'hôpital.

Jack Brown s'était vite remis de son indisposition. Après un examen sérieux, le médecin déclara que son patient ne souffrait d'aucune blessure interne et que son évanouissement n'était dû qu'à l'émotion.

Il décida de quitter l'emploi de la Compagnie en déclarant qu'ayant été sauvé miraculeusement de la mort, il n'exposerait plus sa vie dans un métier aussi hasardeux. Il ne voulut cependant pas partir avant que son sauveteur fût complètement rétabli.

La ressemblance frappante des deux hommes avait donné cours à maints commentaires dans l'hôpital, mais surtout chez les ouvriers.

- Pour sûr que ce sont deux frères, disaient les uns.

- Ils doivent être cousins, disaient les autres.

La dévouée petite infirmière était pressée de questions par ceux qui essayaient de percer le mystère qui resta insondable.

Six semaines après son entrée à l'hôpital, André reprit connaissance. L'infirmière lui apprit avec joie que c'était le jour de Noël. Sa première question fut pour s'informer si on travaillait au barrage le jour de la Nativité. Comme on lui répondit dans l'affirmative, il sembla en éprouver une grande peine. Ayant aperçu Jack Brown qui se tenait près de lui, il lui tendit la main que celui-ci saisit et serra, longtemps, lui donnant des marques d'une reconnaissance profonde.

- Je ne sais trop comment vous remercier, lui dit-il en anglais, ni comment exprimer mon admiration pour votre bravoure.

- J'aurais sauvé à votre place quiconque fût tombé à l'eau. Vous ne m'avez jamais fait de mal et votre reconnaissance me récompense amplement !

Jack Brown pâlit en entendant ces paroles et sembla d'une nervosité excessive.

- Vous êtes mieux d'éviter les émotions, lui dit l'infirmière, sans quoi vous pourriez rechuter.

– En effet, lui répondit Jack encore tout pâle. Je quitterai ces lieux qui me rappellent de trop cuisants souvenirs.

Après avoir fait ses derniers adieux, Jack quitta l'endroit qu'il habitait depuis trois ans, sans laisser d'adresse.

VIII

La convalescence d'André fut longue, mais le premier février il était suffisamment rétabli pour répondre à l'invitation de l'ingénieur en chef, qui avait manifesté le désir de le voir aussitôt qu'il serait en état de le faire.

– Ah ! voilà mon jeune brave, dit l'ingénieur Jennings, comme on introduisait André auprès de lui.

– Peut-être plus téméraire que brave, répondit André.

– Vous ne péchez pas par orgueil, dit l'ingénieur en lui désignant un siège.

– Je vous assure que je n'ai aucune raison d'être orgueilleux, répondit André en baissant les yeux.

– Vous avez été bien soigné à l'hôpital d'urgence ?

– On ne peut mieux, Monsieur !

– Vous n'avez manqué de rien ?

– Je m'évertuerais à trouver des fautes que je ne le pourrais. Votre garde-malade a été d'un dévouement à toute épreuve et je ne regrette qu'une chose : ne pouvoir la récompenser pour ses bons soins.

– Soyez tranquille, elle est très bien payée.

– Je le comprends bien, mais j'aurais voulu lui témoigner ma reconnaissance personnelle.

– Enfin, ça vous regarde, répondit l'ingénieur, et j'ai une autre question à vous poser ; mais, soit dit entre parenthèses, vous ignorez peut-être que la consigne est très sévère quant à la présence des étrangers sur le terrain des travaux.

– Je l'ignorais certainement.

– N'y avait-il pas de garde en service ?

– Je n'en ai pas vu, Monsieur.

– Et que faisiez-vous là ?

– Je regardais en curieux.

– C'est bien permis à un jeune homme de votre âge d'être

curieux, mais votre curiosité a failli vous coûter la vie. Je serais cependant intéressé de savoir ce que vous êtes venu faire ici ?

– Je suis venu pour chercher du travail.

– Manuel ?

– Oui, puisque c'est le seul qu'on puisse se procurer ici. J'avais cependant une certaine répugnance à vous demander du travail, parce que l'on travaille le dimanche à vos travaux.

– Ah ! ah ! ah ! Vous êtes intéressant, jeune homme !

– Peut-être, et pourquoi ?

– Savez-vous combien il y a de capital investi dans cette construction, la plus grande du genre jamais entreprise sur le globe terrestre ?

– Je l'ignore absolument !

– Savez-vous quel dommage causerait l'arrêt des travaux une seule journée ?

– Je l'ignore davantage ; mais je sais une chose : quand Dieu créa l'Univers, y compris la chute de l'Isle Maligne, il travailla pendant six jours et le septième il se reposa, et pourtant la création de l'Univers valait bien un barrage. Je sais aussi que Dieu donna dix commandements à l'homme et que le troisième est celui-ci :

Tu observeras le jour du Sabbat !

– Je vois que vous êtes moraliste ; mais aujourd'hui ces choses-là ne comptent guère : devant le progrès tout doit céder ! Le Dieu de Moïse a bien pu donner ce commandement, mais celui d'aujourd'hui n'est pas aussi exigeant.

– Il l'est plus, en autant que vous parlez du dieu Progrès, puisqu'il ne donne pas à l'homme le temps de se reposer.

– Suivez-moi bien, continua l'ingénieur. Il va falloir six ans pour construire ce barrage. Comptez cinquante-deux dimanches par année : ça fait trois cent douze jours, juste une année de travail, sans les dimanches.

– Et pour une année d'avance vous transgressez le dimanche trois cent dix fois ! En vain essayerez-vous de me convaincre, quand le commandement de Dieu est là !

– Vous m'amusez, jeune homme ; mais enfin, puisque vous le croyez sincèrement. Et que puis-je faire pour vous, quand vous serez complètement rétabli ?

– Mon seul désir est de travailler.

– Oui, mais vous ne voulez pas travailler le dimanche.

– Je n'y tiens certainement pas.

– Vous voyez, vos principes compromettent tout de suite vos intérêts.

– Je le constate sans m'en repentir, et l'avenir vous dira si j'ai raison ou non.

– Vous m'intéressez malgré vos idées. Que désirez-vous faire ?

– Mon manque de références m'empêche de vous demander autre chose que du travail manuel.

– Mais vous avez de l'instruction ?

– Oui et j'aime mieux vous l'avouer franchement : j'ai aussi un casier judiciaire.

– Et vos principes ?

– Ça ne change pas mes principes. Le tribunal a pu se tromper.

– Et les jurés ? Vous avez été jugé par vos pairs ?

– Je n'insiste pas, répondit André. La preuve a été accablante contre moi, et plus j'essaye de me disculper, plus je semble coupable aux yeux de mes interlocuteurs.

– Vous avez payé votre dette à la société, jeune homme ?

– Oui, on a abrégé ma peine de deux ans, grâce à ma bonne conduite.

– Un brave tel que vous ne peut être un criminel, répondit l'ingénieur, et votre franchise vous honore !

– Puisque vous aimez la vérité, je vais la dire tout entière. Mon nom n'est pas Selcault, mais Lescault. J'ai changé mon nom pour ne pas éveiller le passé.

– Ah ! le fameux vol de la Banque du Canada ?

– Vous connaissez l'histoire ?

– Si je la connais ! Mon père est un des directeurs américains de la Banque du Canada.

– Alors je n'ai qu'à me retirer !

– Et pourquoi ? Votre cas m'a toujours paru un mystère.

– Et il l'est encore bien plus pour moi !

– Vous aviez été toujours rangé et d'une conduite exemplaire, me dit-on ; vous ne faisiez pas de dépenses. Vous observiez le dimanche ! continua l'ingénieur d'un air un peu badin.

– La seule chose que je me reproche, c'est d'avoir fréquenté le cinéma ce jour-là. C'est en sortant d'un cinéma, un dimanche, que j'ai été arrêté. C'est pourquoi j'ai la profanation du jour du Seigneur en horreur. Si j'en ai lu des ouvrages et vu citer des exemples du malheur qu'entraîne la profanation du dimanche pendant mon incarcération ! Aussi suis-je résolu à l'observer à l'avenir. Je cite en passant ces vers de Louis Veuillot que je connais par cœur :

Le travail du dimanche

Riche, tu fais bâtir ta maison le dimanche !
Pour en jouir plus tôt, ta volonté retranche
À cinquante ouvriers et prière et loisir ;
En vain l'église s'ouvre, en vain Dieu les appelle :
Il faut tourner la grue et remuer la pelle ;
Tu le veux, il suffit : leur loi, c'est ton désir.

Si l'un d'eux, par hasard, soucieux de son âme,
Un chrétien méditant ce que sa foi réclame,
Laissant là le travail, s'en allait prier Dieu,
Tu lui dirais : « C'est bien ; mais quitte mon service.
Tu veux servir ton Dieu, que ton Dieu te nourrisse :
Moi, je t'ôte l'asile, et le pain et le feu. »

Ils doivent t'obéir jusque dans tes manies,

Et sans plus de façon tu les excommunies
Pour le moindre refus à ton moindre décret.
Puisque tu ne crois pas, aucun d'eux ne doit croire !
Pourtant, tu leur permets de jurer et de boire,
Et d'offrir le lundi leur paye au cabaret.

Mais le jour du Seigneur, il faut que, dès l'aurore,
On travaille, et le soir que l'on travaille encore !
Il faut que ce jour-là l'homme plus hébété,
Étalant sa misère et son ingratitude,
Par le bruit du travail, ce chant de servitude,
Insulte en plein soleil Dieu qui l'a racheté.

Tu le veux, on le fait. On le fait pour ton compte.
La foi cède à regret, la nature se dompte,
L'ouvrier en haillons prend son outil pesant.
La foule autour de lui se promène parée :
Il sent qu'il est captif sous sa vile livrée,
Captif d'un maître dur et d'un fort malfaisant.

Oh ! riche ! prends bien garde à ce train que tu mènes !
Ces sombres ouvriers, ces machines humaines
Forment d'étranges vœux au temps où nous vivons.
Prends garde de semer d'effroyables récoltes.
Si les bras sont soumis, les cœurs ont des révoltes :
Il faut payer à Dieu ce que nous lui devons.

Les crois-tu tes amis, ces gens à rude écorce ?
Les crois-tu peu nombreux, sans envie, ou sans force ?
Entre eux, de leur travail ils augmentent le taux ;

Et lorsqu'ils ont fini la besogne accablante,
Comme des créanciers, d'une démarche lente
Ils s'en vont pleins de haine, emportant leurs marteaux.

Et moi dont la maison n'est point sur cette terre,
Moi qui suis ici-bas simplement locataire,
Riche, pour toi j'ai peur. Je regarde au delà :
Leurs marteaux à la main, ces forçats du dimanche,
Un dimanche pourront chercher quelque revanche...
Dies irae, dies illa !

Louis VEUILLOT

Et c'est de ce spectre menaçant que j'ai peur.

– Il vous faudra vous défaire de ce préjugé, jeune homme, ce n'est qu'une coïncidence. Tenez, j'ai besoin d'un comptable à mon bureau, je vous prends comme tel si ça vous convient. Vous observerez le dimanche, continua l'ingénieur d'un air toujours moqueur.

– Je vous suis doublement reconnaissant, et Dieu fasse qu'il ne vous arrive rien de fâcheux, à cause de cela !

– Vous êtes amusant ; mais j'aime votre franchise et votre hardiesse. Vous commencerez le premier mars, ça vous va ? À partir d'aujourd'hui vous êtes sur la liste de paye ; mais ne vous hâtez pas pour cela, ajouta l'ingénieur.

IX

André prit congé de M. Jennings et retourna joyeusement à l'hôpital d'urgence.

– Vous avez l'air tout heureux, lui dit la petite garde-malade en le revoyant.

– Il y a de quoi ! M. Jennings me prend comme comptable à son bureau.

– Qu'il est bon, M. Jennings ! Et comme il s'intéresse aux blessés et aux malades ! Il est d'une sollicitude pour eux !

– Et je n'aurai pas à travailler le dimanche ! ajouta André jubilant.

– Vous êtes un veinard ! Moi qui travaille tous les dimanches depuis trois ans que durent les travaux. Vous savez, ajouta-t-elle en penchant la tête, on s'habitue après un certain temps !

– Ce n'est pas là le moindre danger, quand ça devient une habitude ! Je viens justement d'avoir une discussion avec M. Jennings à ce sujet.

– Ça me surprend qu'il l'ait tolérée, car il est d'une intransigeance quand on lui parle de cela. J'ai déjà essayé de lui faire des représentations et il m'a dit que si je n'étais pas satisfaite je n'avais qu'à m'en aller. Vous comprenez que je n'ai pas insisté ; je suis très bien payée ici, et puis...

– Malheureusement, le dieu Argent s'infiltre sournoisement dans nos mœurs sans que nous nous en apercevions. Prenez comme exemple M. Jennings. Est-il un homme plus charitable, plus sympathique ? et cependant il préfère le dieu Progrès au vrai Dieu. Il ne voit que le succès, signe du progrès, et le progrès, signe du succès. Où s'en va l'humanité avec de tels principes ?

– Il faut bien gagner sa vie !

– Hélas. oui ! Et j'espère qu'il n'arrivera rien de fâcheux à M. Jennings à cause de ses idées avancées.

– Je lui ai déjà dit que je priais pour lui, et ça l'a amusé. Je prie pour lui quand même, car il est si bon !

– Je joindrai mes prières aux vôtres.

– À deux... on est bien plus fort. dit l'infirmière en rougissant.

– En effet, l'union fait la force, répondit André d'un air approbateur, comme l'union de deux cœurs fait le bonheur.

– Ce n'est pas exactement ce que je voulais dire ; mais il y a des gens avec qui on se sent plus en sympathie qu'avec d'autres. Votre acte de bravoure, par exemple, n'était pas de nature à diminuer la mienne envers vous.

– Si ma témérité a pu me servir dans ce sens, je ne dis pas que je la regrette.

– Oh ! c'est bien aimable de votre part ; mais les hommes sont si inconstants.

– Vous croyez ?

– Oui, tenez : il y a un an, un jeune homme comme vous, justement Jack Brown à qui vous avez sauvé la vie et qui vous ressemble comme une goutte d'eau ressemble à une autre, est tombé gravement malade. Je l'ai soigné avec le même dévouement que je l'ai fait pour vous. Sa convalescence a été longue, très longue, et je me suis éperdument attachée à lui. De son côté, il semblait m'estimer beaucoup ; il me l'avoua même ; mais une fois rétabli, il n'est pas revenu. Il fallait que vous lui sauviez la vie pour que je le revoie. Je lui ai demandé la cause de son silence quand il est rentré à l'hôpital et il m'a répondu :

– Si je ne suis pas venu vous voir pour vous remercier au moins, c'est que je me considère indigne de vous.

– J'ai insisté pour savoir pourquoi et la seule réponse que j'ai pu lui arracher est celle-ci :

– Il vaut peut-être mieux que vous ne le sachiez pas. Si je vous disais que j'ai commis un crime, vous ne me croiriez pas. Vous penseriez tout simplement que je ne vous aime pas et que, par ingratitude, je veux me faire oublier de vous, tandis que des sentiments bien contraires m'animent. Pour conserver votre estime, je préfère ne rien vous dévoiler. Plus tard peut-être saurez-vous tout ?

– Vous comprenez qu'avec de tels propos mystérieux, il est bien difficile de se fixer sur la sincérité des hommes.

– Il y a tant de ruines morales qui se cachent dans ces grandes entreprises ! répondit tristement André. Jack Brown m'a l'air d'un fils de bonne famille. Je n'ai pu m'empêcher de l'aimer, et il m'inspire beaucoup de sympathie.

– Et avec quelle anxiété il venait tous les matins s'enquérir de votre santé ! Vous n'avez pas affaire à un ingrat ! Ce que recèle son passé, cependant, bien malin est celui qui le lui extirpera.

– Je crois, Mademoiselle Poisson, que vous êtes trop sensible pour être une garde-malade dans un endroit aussi cosmopolite. Vous compatissez trop à la misère d'autrui. Vous vous attachez à vos patients sans vous en apercevoir, pour ensuite éprouver du chagrin devant leur prétendue indifférence, ou, si vous préférez, devant leur ingratitude. Il n'y a rien qui me ferait plus plaisir en ce moment que de vous récompenser largement pour tout ce que vous avez fait pour moi, mais...

– Vous me feriez injure, Monsieur ; je ne veux pas de récompense matérielle ! Pourquoi ai-je un cœur ? me dis-je souvent... Vous ressemblez tant à Jack Brown !

– Ce Jack Brown semble avoir fait une forte impression sur vous !

– Il était si poli et si gentil, en comparaison des autres patients.

– Oui, il a quelque chose d'attirant pour une jeune fille.

– Prenez garde ! J'ai dit qu'il vous ressemblait !

– Et cette ressemblance m'intrigue bien un peu ; mais c'est un pur caprice de la nature. Chacun a son sosie dans le monde. Nous ne pouvons certainement avoir rien de commun, nous ne sommes même pas de la même race.

– Avez-vous remarqué comme il était ému quand il vous a fait ses adieux ?

– Oh ! un peu, si peu ! Ses propos incohérents m'ont laissé un peu perplexe. Dans deux semaines il aura peut-être tout oublié.

– Je ne le crois pas ; dans un moment de fièvre il a prononcé un nom qui ressemblait au vôtre : Lescault, si j'ai bien compris.

– Et si je vous disais que c'est mon vrai nom. Et moi, ai-je prononcé le nom de Brown dans mon délire ?

– Non. Vous prononciez souvent le nom de votre mère et, si j'ai bien compris, vous avez appelé une fois Mme Coulombe !

– Dire que je ne lui ai pas encore écrit pour la remercier, cette bonne Mme Coulombe, pensa André.

– Cette Mme Coulombe est-elle votre parente ?

– Non, c'est une bienfaitrice. (Il faut, à tout prix, que je lui écrive.) Quand ça vous plaira, Mademoiselle, si vous voulez bien me donner du papier et de l'encre, j'aurais à écrire une lettre.

– J'y vais incontinent. Je ne vous ai pas trop fatigué avec mes propos affectueux ?

– Soyez tranquille ! Nous aurons d'ailleurs l'occasion de nous revoir.

La petite garde-malade courut au bureau pour aller chercher les articles demandés, alors qu'André, fatigué par cette longue conversation, ferma les yeux. Quand, toute joyeuse, revint Mlle Poisson, André dormait déjà profondément.

X

La jeune infirmière était encore assise près d'André quand il s'éveilla.

– Y a-t-il longtemps que vous attendez ? fut la première question qu'André posa à celle qui veillait si attentivement sur lui.

– Deux heures !

– Et vous avez attendu là sans m'éveiller ?

– Vous reposiez si bien !

– Vous êtes un ange de patience !

– Je suis heureuse que vous vous en aperceviez ; mais vous devrez remettre à plus tard vos écritures, car c'est l'heure du souper.

– Puisque c'est ma punition pour m'être laissé choir dans les bras de Morphée, je m'y conformerai.

Après le souper, André s'assit dans une chaise longue et se servit de ses genoux comme d'une table pour écrire.

Isle Maligne, le 2 février

Madame Louis Coulombe,

Rue Couillard, Québec.

MA CHERE BIENFAITRICE,

Comme il ressemble à notre Louis ! furent les dernières paroles que vous prononciez à mon départ de chez vous, après votre chaude hospitalité.

Bien sûr que vous avez dû vous faire la réflexion, depuis, que je ne lui ressemblais qu'au physique et que vous aviez obligé un ingrat. Loin de là, chère Madame Coulombe ! mes pensées, après ma mère, allaient vers vous et je me suis rappelé toutes vos bontés à mon égard.

Votre générosité qui m'a permis de me rendre à l'Isle Maligne n'a pas été oubliée, si mon retard à tenir ma promesse a pu vous le faire croire.

Le dimanche, qui était le lendemain de mon arrivée ici, je me suis rendu aux travaux du barrage en curieux, pour voir ce qui s'y passait, après, bien entendu, avoir été à la messe. Votre Louis y serait allé ; j'y ai été moi aussi pour tâcher de lui ressembler davantage.

Alors que j'étais à observer cette image de l'enfer que constituent ces travaux, un malheureux est tombé à l'eau. Comme personne n'allait à son secours, je me suis précipité dans le torrent impétueux qui descend en cascades à une vitesse de trente milles à l'heure. On m'a dit après coup que l'eau a soixante pieds de profondeur à l'endroit où le pauvre homme est tombé. Je n'ai pas pris le temps de faire des sondages, comme vous pensez, et je me suis précipité à son secours. J'ai réussi, après mille difficultés, à sauver l'individu qui était sans connaissance au moment où j'ai mis la main sur lui pour le ramener au rivage.

Après la fatigue que j'ai éprouvée, j'ai dû m'aliter et j'ai été six semaines entre la mort et la vie. Je n'ai repris connaissance que le jour de Noël.

Ma bonne garde-malade, qui m'a prodigué ses soins, me dit que j'ai souvent prononcé votre nom dans mon délire, avec celui de ma mère. Comme je vous aurai désormais toutes les deux dans mon cœur, vos noms seront toujours unis dans mes prières.

Ma témérité m'a valu une position de comptable que l'ingénieur de la Compagnie m'a offerte lorsque j'ai été un peu remis.

J'aurais aimé pouvoir au moins vous souhaiter une bonne et heureuse année à l'occasion du Jour de l'An, mais je n'étais pas assez bien pour le faire.

Quoique en retard ; je vous prie d'agréer mes meilleurs souhaits de bonheur, que vous voudrez bien transmettre à votre bon époux.

Je m'efforcerai de toujours ressembler à votre cher Louis, que vous regrettez tant.

Veuillez croire à ma reconnaissance éternelle.

André LESCAULT

XI

Trois ans auparavant

« J'ai pt'être ben faite enne bêtise », avait dit Pierre Lescault, observant de sa fenêtre tous les objets qui lui avaient appartenu et que le marteau de l'encanteur avait adjugés à ses voisins qui les transportaient chez eux. Il réfléchit profondément, en se posant à lui-même mille questions.

Sa bêtise était-elle aussi grave qu'il semblait le croire, à ce moment funeste où il lui fallait quitter tout ce qui lui était cher, pour marcher vers l'inconnu ? Quitter un établissement prospère pour aller planter sa tente au milieu d'une forêt, construire sa hutte de bois rond en attendant le défrichement, est une chose qui demande un courage indomptable. Aurait-il ce courage jusqu'au bout ?

Le vieux cultivateur avait éprouvé une défaillance en face de la réalité, après les moments tourmentés du procès. Seul, l'avenir pourra lui donner tort ou raison de sa conduite. Était-ce lui qui souffrirait le plus de ce dérangement ? Évidemment non, car sa brave épouse, qui se conformait en tout à sa volonté, ne voyait pas d'un bon œil le commencement d'une vie nouvelle, au moment où elle croyait jouir d'un repos bien mérité ; mais sa décision étant prise et bien arrêtée, Pierre Lescault partit pour le ministère de la Colonisation, afin de se procurer les lots nécessaires à son établissement et à celui de ses enfants.

Passant par Québec, la famille Lescault fit le même trajet, à peu près, qu'André devait faire, trois ans plus tard, sans savoir qu'ils se rapprochaient les uns des autres.

Les lots qu'il avait choisis étaient situés au nord du lac Saint-Jean, dans une nouvelle paroisse qui ne comptait encore que quelques familles, mais toutes animées du même désir : « clairer » leur terre. L'arrivée de cette nouvelle recrue fut saluée avec joie par les premiers arrivés et par le jeune curé qui hébergeait toujours les nouveaux venus.

Comme ils n'arrivèrent que le samedi, tard dans l'après-midi, leur premier acte fut d'entendre la messe le lendemain.

Le jeune curé prit pour texte de son sermon ces paroles de

l'Évangile : « Si donc vous présentez votre offrande à l'autel et que là vous vous souveniez que votre frère a quelque grief contre vous, laissez votre offrande devant l'autel et allez d'abord vous réconcilier avec votre frère. Alors seulement vous pourrez présenter votre offrande. Pardonnez à vos ennemis. Faites le bien pour le mal. »

Ces paroles tombées de la bouche du prêtre impressionnèrent vivement Pierre Lescault et il ne put s'empêcher de laisser voir ses sentiments intimes par une larme qui le trahit.

Lui, le vieil habitant à l'écorce rude et à l'air inflexible, se sentit terrassé par ces paroles de pardon du Sauveur.

Il sortit de l'église tout ému, adressa quelques paroles aux colons qui étaient venus faire sa connaissance et retourna songeur au presbytère, où sa famille le suivit.

La petite chapelle temporaire construite de bois brut, lambrissé de papier gris, avait un air de gaieté que ne s'attendait pas de trouver là la famille Lescault. Ce premier contact avec le Dieu des colons leur donna le courage dont ils croyaient manquer, tant ils s'étaient sentis affaissés après leur départ de Verchères.

XII

Le lundi matin, à quatre heures, Pierre Lescault et deux de ses fils partirent à la recherche de leur lot, guidés par un colon de l'endroit.

– Voici le Chemin du Roi, dit-il en montrant un tracé de chemin au nouvel arrivé. C'est aussi le milieu de votre terre, car le chemin coupe les lots en deux. Bon courage, ajouta-t-il, en le quittant immédiatement.

L'endroit désigné par le guide près du Chemin du Roi était situé au milieu d'une haute futaie que, probablement par mégarde ou à cause du bois franc qui s'y trouvait, les compagnies forestières avaient épargnée. « Voici l'endroit tout désigné pour la maison future », dit le père Lescault, pointant son index vers le pied d'une petite colline des flancs de laquelle coulait une source d'eau limpide. Sans hésiter un seul moment, Pierre Lescault fit d'abord un grand signe de croix, enleva sa « bougrine », saisit le manche de sa hache à deux taillants et s'élança à l'assaut du premier arbre.

Le sol trembla sous le coup de ce premier coup. Cette terre vierge frémit-elle dans sa pudeur offensée, ou est-ce la seule force du bras de ce vaillant Canadien qui la fit tressaillir si fortement ? Elle seule pourrait le dire ; mais elle reste toujours muette pour les profanes. C'est dans son langage propre qu'elle s'adresse à ceux qui lui témoignent de l'amour. Ah ! qu'elle doit dire de belles choses au colon penché vers elle pour lui arracher ce qu'elle recèle et qui deviendra sa nourriture, sa vie ! Ceux qui la regardent avec mépris, ou qui ne s'en servent que pour jouir par le fruit du travail auquel d'autres s'astreignent, ne peuvent en apprécier la saveur. Elle dut néanmoins répondre favorablement à Pierre Lescault. Après une pause où il sembla écouter sa réponse, une seconde entaille fit voler les éclats de bois, puis une troisième et enfin jusqu'à ce que, mortellement blessé, le géant de la forêt s'avouât vaincu et tombât avec fracas sur le sol.

– Mes fils, je vous ai donné l'exemple, dit-il. Faites comme moi.

Les jeunes s'élancèrent à leur tour à l'assaut de nouveaux arbres, pendant que le père ébranchait et coupait en longueur le premier abattu.

À sept heures du soir, la cabane était prête, moins la couverture, à recevoir la famille, qui s'était rendue à l'heure convenue pour habiter ce gîte nouveau. Le père les reçut presque avec joie, malgré le peu de confort qu'il avait à leur offrir.

- Vous avez fait une bonne journée ? dit aimablement Mme Lescault en arrivant sur les lieux.

- J'te crois et je te présente notre château ! Ce soir, nous aurons le firmament comme toit et les étoiles comme lumière, mais demain nous serons à couvert et à l'abri des intempéries.

Une cabane de colons n'est pas en effet un château. Construite de pièces de bois rond superposées, liées à queue d'aronde, sur lesquelles repose un toit de branches de cèdre ou de sapin, en attendant la paille qui ne viendra que l'année suivante ; une fenêtre à l'est, l'autre à l'ouest ; une porte rustique, des lits de branches sur un parquet de terre, ce n'est pas le « Louvre » ni le « Windsor », mais c'est une protection contre les intempéries et les bêtes sauvages.

Pas un mot de récrimination ne fut entendu en face de ces misères et tous étaient remplis de courage. Aucune allusion ne fut faite à la demeure qu'ils avaient quittée ni aux difficultés qui se présentaient. C'est ainsi qu'étaient trempés les premiers colons venus de France ; c'est la même trempe qui se manifestait à ce moment presque tragique de l'existence de la famille Lescault.

Contrairement à l'habitude des colons qui, dans leur désir d'abattre la forêt, rasent tout, Pierre Lescault, qui avait conservé le goût des belles choses, laissa une rangée d'arbres en face de sa cabane de bois rond.

- Ce sera beau plus tard, avait-il dit à sa famille à leur réunion autour de la table rustique qui servit à leur premier repas.

- Tu parles comme si tu n'avais que vingt ans, dit Mme Lescault.

- Si ce n'est pas pour nous, ça sera pour les enfants, répondit tout simplement son époux.

- Dieu le veuille ! car je sens que je n'en ai pas pour longtemps à vivre, dit-elle, laissant percer malgré elle la défaillance de son cœur.

Tous les enfants entourèrent leur mère pour protester contre ses propos.

– J'ai encore besoin de toi et les enfants aussi, répondit le père. Quand tu seras reposée les choses te paraîtront peut-être moins tristes.

– Je ne dis pas cela parce que je suis découragée, répondit Mme Lescault, craignant d'avoir peiné son époux ; mais je ne suis plus à l'âge de vingt ans. Cependant il me semble que plus jeune j'aurais joui de cette expérience.

– Eh bien, moi, je me sens rajeuni de trente ans. Ça ne m'en donne par conséquent que trente-quatre, et je vois l'avenir avec confiance.

Un nuage passa cependant dans ses yeux, comme il prononçait ces paroles. Ah ! ce cauchemar allait-il le poursuivre jusqu'au fond de la forêt du Lac-Saint-Jean ?

Son épouse comprit tout ce qui, à ce moment, passait dans son esprit. Ils se regardèrent longtemps les yeux dans les yeux sans proférer une parole, pendant que les enfants plus joyeux s'amusaient de leur nouvelle situation.

À quinze, à dix-huit et à vingt ans on a le courage inconscient de cet âge. Certaines situations peuvent nous apparaître sous un aspect sportique ; mais quelle somme de courage raisonné faut-il à un homme d'âge mûr pour affronter la forêt vierge et s'y tailler un domaine ?

D'un coup d'œil, cependant, le vieux colon avait dressé ses plans futurs.

– Ici sera le site de la maison, là celui de la grange. Le poulailler s'élèvera un peu plus à l'ouest, la porcherie tout près du poulailler. La source fournira l'eau à la maison, de même qu'aux bâtiments, dit-il. C'est presque déjà mieux qu'à Verchères, où nous n'avions que de l'eau calcaire pompée par un moulin à vent.

– Ça prendra bien du temps, pour réaliser tout cela ? lui demanda Mme Lescault.

– Pas si longtemps ! Un an, peut-être deux. Puis continuant avec enthousiasme : Je vois déjà lever la prochaine moisson, grandir la tige de blé, l'épi blondir, puis se dorer enfin pour la récolte. Nous nous attaquerons d'abord à ce taillis, dit-il, pointant vers une pièce voisine. Si j'en juge par les « repoussis », la terre doit être excellente. Puis s'adressant particulièrement à ses fils : Nous irons voir ça demain.

– Quel enthousiasme ! lui répondit son épouse. Je crois, en effet, que tu es rajeuni et cela me donne du courage ! J'espère vivre assez longtemps pour que tous tes rêves se réalisent avec les miens. Alors verrons-nous, de nouveau, le bonheur régner au foyer.

Un second nuage sombre passa sur la figure du père, montrant de nouveau la blessure profonde de son cœur. Il sentait bien aussi la cause de la douleur et de la tristesse de sa compagne, dues peut-être un peu à l'apparente dureté de son cœur à l'égard de son fils ; aussi reprit-il d'un ton adouci :

– Ah ! le bonheur ! Plus l'on court après, plus il s'éloigne ! Je croyais pouvoir oublier en m'éloignant, mais la même torture me poursuit, le même ver me ronge. Ça ne valait certainement pas la peine de fuir si loin !

– C'est dans le pardon que tu trouveras la paix, Pierre. T'enfoncerais-tu à trois cents milles dans les bois, tu n'auras pas la paix si tu ne mets pas le « Notre Père » en pratique.

– Je le voudrais bien, mais comment pourrais-je accepter de bon gré cette honte qui me torture et qui me suit partout. Plus j'essaye d'oublier, plus j'y pense.

– Si tu ne peux pardonner, cesse de dire ton « Notre Père » ! dit Mme Lescault d'un ton autoritaire à son tour.

– Comment, moi ! cesser de dire mon « Notre Père » ? Ne sais-tu pas que je n'ai jamais manqué de le dire tous les jours depuis mon enfance ?

– Même depuis l'affaire ?...

– Mais oui, et pourquoi pas ?

– Ne vois-tu pas que tu te condamnes toi-même, quand tu dis : « Pardonnez-nous nos offenses, comme nous pardonnons » ?

– Tu ne voudrais toujours pas que je cesse de dire mon *Pater* ?

– Dieu m'en garde ! mais toi, prends garde qu'il te prenne au mot !

– Tu as peut-être raison ! J'y songerai.

– Tu ne te coucheras pas ici, pour la première fois, sans demander à Dieu ton pain quotidien ! Et comment peux-tu le lui demander sans dire ton *Pater* ?

Le vieux colon prit entre ses deux mains sa tête qui semblait vouloir éclater. Comment lui, l'inflexible, devait avouer sa faiblesse devant tous ses enfants ? Sa fuite de Verchères, c'était une faiblesse ! Son orgueil, mais c'était une autre faiblesse ! Pardonner ne serait qu'en ajouter une autre ! Il resta longtemps immobile, la tête entre ses deux mains crispées dans son épaisse chevelure. Se relevant soudain, il alla s'agenouiller devant l'humble croix de bois qu'il avait confectionnée de ses mains, après le levage de son campement.

- Mon Père, pardonnez-moi, comme je pardonne à celui qui m'a déshonoré ! dit-il.

- Toute la famille tomba à genoux et rendit grâces à Dieu de ce que leurs prières fussent enfin exaucées.

- Tu me rends une partie de mon bonheur perdu, lui dit son épouse en l'embrassant.

- Je pardonne, mais j'y mets une condition, c'est qu'André n'en soit pas averti. Je veux que, pour son bien, il me croie toujours inflexible. Vous pourrez désormais prononcer son nom et nous prierons pour lui en famille, pour que sa faute lui soit pardonnée.

La première prière de la famille Lescault n'eut pas de difficulté à se rendre au ciel, non seulement parce que le toit d'étoiles n'y mit pas d'obstacles, mais surtout parce qu'elle avait été précédée du pardon. « Va d'abord te réconcilier avec ton frère », disait le jeune curé dans son sermon de la veille. Et c'est ainsi que cette brave famille de colons canadiens-français dormit sa première nuit, sur la terre vierge de son lot nouvellement acquis, dans la paix avec son Dieu.

XIII

Quoique Pierre Lescault se fût fait colon, il n'était pas arrivé à Sainte-Véronique sans le sou. Son premier soin fut de construire sa cabane assez spacieuse pour se donner un peu de confort, en attendant la construction d'une habitation convenable, qui ferait moins regretter la vieille maison de Verchères.

Après leur première et rudimentaire installation, ils achetèrent chez le marchand du village les meubles indispensables. À l'exemple des marchands de son genre, il tenait en stock tout ce dont peut avoir besoin le colon. Ce marchand, qui était le seul de la localité, était en même temps maître de poste, facteur, propriétaire de la petite scierie qui venait de s'ouvrir, et aviseur des colons.

Après avoir fait une éclaircie autour de sa cabane, à l'endroit qu'il avait choisi pour sa future maison, il s'attaqua au taillis voisin qui lui semblait le plus favorable à la culture. Il était d'abord allé s'assurer de la nature du sol, comme il l'avait suggéré à ses quatre fils qui le secondaient dans sa tâche.

Une semaine de travail à peine avait suffit à nettoyer un arpent de terre ; mais aussi avec quel entrain y allait-on. Comme Chantecler, c'est lui qui faisait lever le soleil, car l'aurore ne le surprenait jamais au lit. Il allait se dégourdir en abattant quelques arbres, disait-il, avant d'éveiller ses fils. Ceux-ci secondaient vaillamment leur père qui leur donnait un si bel exemple de courage.

– Je vous ai fait réserver chacun un lot, dit-il un beau matin à ses vaillants gars, comme ils étaient à abattre de petits sapins qu'ils convertissaient en bois de pulpe..., j'en ai fait aussi réserver un pour... André..., si ça lui dit de revenir à la terre.

– Nous serions bien heureux de le voir établi près de nous ! dirent à l'unisson les quatre robustes jeunes colons.

– Qu'à Dieu il plaise ! répondit le père. Ici on ne profane pas le dimanche. Mais replante-t-on un arbre après qu'il a séché ? Je n'ai guère confiance aux déracinés, moi.

– J'ai ouï dire, répondit Joseph, le plus âgé des garçons, que l'on profane le dimanche dans la région, non loin d'ici.

– Dieu les rejoindra, ceux-là, comme il a rejoint les autres. Du moins il n'y a pas de cinémas ici. Ah ! les cinémas m..., ajouta-t-il en serrant les dents. Si André ne les avait pas fréquentés, il ne lui serait peut-être pas arrivé malheur ; mais de voir cette école de vol constamment sous ses yeux, il a perdu la tête ! Ce n'était pas un mauvais garçon après tout. On l'avait fait instruire, c'est vrai ; mais il serait resté bon s'il n'avait pas rencontré de mauvais compagnons qui l'ont sans doute entraîné.

Comme ils étaient ainsi à causer sur le sort d'André tout en travaillant, ils voient venir en courant Mme Lescault, qui avait un air étrange, balbutiait, hésitait, sans pouvoir dire ce qu'elle voulait.

– Voyons, calme-toi ! lui dit enfin son époux. Qu'y a-t-il que tu sois si énervée ?

– Il y a !... Il y a !... Il y a qu'un jeune homme qui s'en vient sur la route ressemble étrangement à André. En disant ces mots elle s'évanouit.

Ses quatre fils, aidés de leur père, la transportèrent rapidement à la maison où elle reprit bientôt ses sens.

– Voici que le jeune homme approche, dit Henriette, la plus jeune de la famille.

Tous se transportèrent à l'étroite fenêtre pour épier les mouvements de celui qui approchait.

– Grand Dieu, c'est lui ! dirent-ils à l'unisson.

Le jeune homme, qui portait un lourd sac sur son dos, frappa enfin à la porte de la cabane.

– Entrez ! dit d'une voix tremblante le père de famille.

– *Good day sir !* dit le jeune homme en entrant.

Pour sûr c'est une mystification, se dirent tous ensemble les membres de la famille, figés comme des statues.

– Tu peux parler français, lui dit le père... Sois le bienvenu... pour ta mère.

Sa vieille colère s'était réveillée à la vue de l'arrivant.

– C'est moi pas comprendre bien ce que dire vous, Moussieu, reprit le jeune homme.

– Trêve de plaisanteries ! répondit le père, pendant que la mère tremblait dans la crainte d'une scène.

– Sois charitable ! lui cria-t-elle, couchée dans le fond de la cabane. N'as-tu pas pardonné ?

– Oui, mais ce que je ne lui pardonne pas, c'est de me parler anglais et d'essayer ainsi de me mystifier.

Le jeune homme regardait d'un air étonné cette scène que sa connaissance rudimentaire du français ne lui permettait pas de saisir.

– C'est moa, going to Isle Maline, for chercher l'ouvrage, dit le jeune homme toujours de plus en plus surpris de la scène dont il était le témoin, sans trop se rendre compte de ce qui se passait.

Il enleva sa casquette anglaise et la déposa sur le dos d'une chaise.

– Ça ne peut être André, cria Mme Lescault du fond de sa chambre, il a les cheveux roux.

Tous envisagèrent le jeune homme avec stupéfaction ; lui continuait à ne rien comprendre. Ce sont pourtant des gens qui ont l'air bien, se dit-il à lui-même. Est-ce parce que je suis anglais ? Ce n'est pourtant pas un objet de curiosité qu'un Anglais au Canada !

La jeune Henriette, qui avait quelque connaissance de l'anglais, écrivit sur une tablette :*What is your name ?*

– Jack Brown ! répondit-il.

– Il se nomme Jack Brown, dit-elle. Nous nous sommes donc trompés.

– Évidemment, puisqu'il a les cheveux roux et qu'il est Anglais, ça ne peut certainement pas être André Lescault, dit le père.

– You, connaître André Lescault ! dit l'Anglais.

– Oui, c'est mon fils !... C'était mon fils !... Puis, se reprenant : Oui, c'est bien mon fils !

– Le fils à vous !

– Mais... vous le connaissez ?

– Non, c'est moi voir son portrait dans journal anglais de Montréal et c'est mes amis dire : ressemble beaaooucoup à moa, répondit le jeune homme sans broncher.

– Offre-lui à déjeuner, dit le père, heureux que ce ne soit pas

André qui soit arrivé sans le prévenir.

Le jeune homme ne se fit pas prier et mangea de bon appétit. Il s'informa ensuite du chemin pour l'Isle Maligne où il allait chercher de l'ouvrage et continua sa route sac au dos, comme il était arrivé.

Cette ressemblance frappante avec André ne fut pas sans créer une commotion profonde au sein de la famille. Mme Lescault surtout ne cessait de s'énerver de cette visite.

– Quelque chose est arrivé à André ! ne cessait-elle de répéter. C'est une apparition, bien sûr ! Il n'y a pas sur la terre deux êtres qui se ressemblent comme ces deux-là !

– Il a aussi les yeux bleus, dit Henriette.

– Es-tu bien certaine ? répondit la mère un peu rassurée.

– C'est vous-même qui avez remarqué qu'il avait les cheveux roux... puis, après tout, les fantômes n'apparaissent pas en plein jour...

– Et ne mangent pas non plus ! reprit son époux.

– Tu as bien raison ; mais comme j'ai eu peur !

– Preuve évidente que ce n'est pas lui : une mère n'a pas peur de son fils !

– Ah ! oui. Si c'eût été lui il serait venu se jeter dans mes bras, après s'être agenouillé pour te demander pardon.

– Oui, et je lui aurais pardonné, même si ce n'eût pas été déjà fait. Si un cœur de mère peut reconnaître son fils, celui du père n'est pas fait de pierre non plus. Va, Henriette, continua-t-il, prends bien soin de ta mère pendant que nous retournerons au travail.

L'écho des coups de hache dans le tronc des arbres qui tombaient l'un après l'autre témoignait que les cinq bûcherons s'étaient résolument remis à la tâche quotidienne, et « clairaient », « clairaient » toujours de la terre.

XIV

André achevait sa convalescence, quand les premiers rayons du soleil de mars commencèrent à réchauffer un peu l'atmosphère. L'hiver avait été des plus rigoureux, dans toute la région du Lac-Saint-Jean. Les travaux du barrage se poursuivaient avec grande difficulté à cause du froid intense qui y régnait. On avait dû diminuer le personnel, qui ne pouvait résister à cette température glaciale.

Avec le mois de mars, cependant, les travaux recommencèrent avec une recrudescence d'opiniâtreté, de la part des ingénieurs, à vaincre les mille et une difficultés qui se présentaient sans cesse à la poursuite de leur tâche.

De nouvelles fournées de travailleurs, toujours en majorité composées d'étrangers, arrivaient sans cesse. La plupart étaient à pied, ayant parcouru la distance de neuf milles qui sépare l'Isle Maligne du chemin de fer.

De solides gaillards canadiens, sortant du bois où ils avaient passé l'hiver dans les chantiers, vinrent offrir leurs bras. On les refusa impitoyablement, sous prétexte que les listes étaient remplies. Ces bons Canadiens, qui ne demandaient qu'à travailler, ne pouvaient s'expliquer pourquoi on leur préférait des étrangers pour ce travail extra hasardeux, il est vrai, mais pour lequel ils se sentaient amplement qualifiés.

Quelques-uns allèrent se plaindre à leurs députés, mais sans succès. Les étrangers étaient maîtres dans leur pays, où ils n'avaient même pas le privilège de servir de bêtes de somme.

Le camp de construction était composé d'une suite de bâtisses d'un seul étage, construites de deux rangs de planches embouvetées, séparées par une épaisseur de papier goudronné afin de couper le vent et en même temps, chasser la vermine. L'hôpital, les spacieuses salles à manger, les dortoirs qui servaient en même temps de salles de réunion, de même que les bureaux des officiers de la construction, étaient tous de même confection, à l'exception du *Staff House,* résidence des officiers, qui était aménagé avec luxe et confort. Tout l'ensemble avait un air de propreté que la blancheur de la neige rendait presque attrayant.

Le premier mars au matin, André partit pour le bureau de l'ingénieur Jennings afin de prendre la position que celui-ci lui avait promise. Il croisa en chemin un groupe de Polonais qui attendaient leur tour pour demander de l'ouvrage. Un du groupe, qui avait travaillé au barrage, le reconnut comme le sauveteur de Jack Brown. Il le salua d'un air aimable, et, ayant vivement raconté à ses compagnons l'acte de bravoure d'André, ceux-ci l'entourèrent pour le féliciter. André leur répondit dans leur langue, à leur grande surprise. Il les remercia de leurs félicitations, puis continua son chemin vers le bureau de l'ingénieur.

Il frappa à la porte avec un certain serrement de cœur. Quel accueil allait-il recevoir de M. Jennings ? Il y avait déjà quatre mois que l'événement s'était passé et il était peut-être las de le payer à ne rien faire.

– *Come in !* fut la réponse de l'ingénieur au timide coup de poing d'André.

– Ah ! c'est vous, jeune homme, dit l'ingénieur en anglais.

– Oui, Monsieur, comme je me sens assez fort pour prendre l'ouvrage, je viens vous demander de vouloir bien donner suite à l'offre généreuse que vous m'avez faite.

– Êtes-vous bien certain que vous êtes suffisamment rétabli ?

– Je le crois, Monsieur Jennings.

– Ne vous gênez pas, vous savez, si vous avez encore besoin de repos, je puis me passer de vous quelques jours de plus ; mais votre place vous attend.

– Je suis prêt à essayer ; mais je ne sais si je vous donnerai satisfaction.

– Soyez tranquille, je ne vous demanderai pas de conduire les travaux pour quelques jours encore, dit l'ingénieur en badinant.

– Je ne m'y attendais pas non plus et d'ailleurs j'y serais mal préparé... avec mon passé.

– Qu'il ne soit plus question du passé, jeune homme. Ici c'est l'avenir qui compte. J'espère que la position que je vous offre vous sera agréable.

– Comment pourrait-il en être autrement ? Je suis venu à l'Isle Maligne dans l'intention de vous demander un scorpion et vous m'offrez un œuf, j'aurais mauvaise grâce d'être mécontent.

– Je ne vous comprends pas très bien.

– Je disais que j'étais venu à l'Isle Maligne avec l'intention de faire du travail manuel et vous m'offrez une position de confiance, j'ai doublement raison d'en être heureux.

– L'avenir me dira si vous la méritez. Pour le moment, je vous le répète, oubliez le passé et qu'il ne soit plus question de votre séjour au pénitencier. D'ailleurs, personne de mon personnel ne le sait et vous entrez ici sous ma protection.

– Merci encore une fois, Monsieur Jennings, de votre inaltérable bonté à mon égard.

L'ingénieur Jennings pressa un bouton de sonnerie électrique et le chef du bureau se présenta bientôt devant lui.

– Je vous présente, dit-il, Monsieur André Selcault, qui sera désormais sous vos ordres. Je vous le recommande fortement ; il entre au service de la Compagnie sous ma protection personnelle, et je compte sur vous pour l'initier à l'ouvrage du bureau. Vous l'emploierez d'abord à la comptabilité. Vous lui confierez les valeurs et il fera les transactions bancaires. *Good luck, young man,* ajouta-t-il en serrant la main d'André. Désormais vous aurez affaire à Monsieur Jarvis et c'est de lui que vous recevrez vos ordres.

Le chef du bureau, d'une allure sévère, le conduisit à un pupitre libre, dans le grand bureau de la comptabilité.

– Voici votre pupitre, dit-il. Celui qui vous a précédé est au pénitencier pour défalcation. J'espère que vous ne mériterez pas le même sort !

Voilà, pour le moins, un avertissement sonore, se dit André à lui-même, puis répondant à son nouveau chef :

– J'espère, Monsieur, être digne de la confiance que M. Jennings m'a témoignée.

– M. Jennings, reprit le chef avec son flegme américain, est trop confiant ; il s'émeut au moindre acte de bravoure et peut tout donner. Je ne suis pas aussi mou, moi, et je ne confonds pas la bravoure avec l'honnêteté !

– Ni moi non plus ; mais on peut avoir les deux, ne vous en déplaise, Monsieur Jarvis.

– Je le veux bien. D'ailleurs M. Jennings en prend la responsabilité ; mais j'ai l'habitude d'avoir l'œil ouvert.

– Je vous remercie de l'avertissement, mais je n'en avais pas besoin ; j'ai déjà reçu une leçon qui, j'en suis sûr, me profitera.

– Mais vous parlez très bien l'anglais. Vous êtes Canadien-Français ? Où avez-vous appris notre langue ? dit le chef radouci.

– Dans un collège des Frères.

– Ces hommes qui portent une robe, comme j'en ai vu à Québec ? Vous savez, aux États-Unis, nous ne croyons pas à ces folies-là.

– Si je ne me trompe, vous ne croyez pas à grand'chose au-delà du quarante-cinquième.

– Nous croyons au progrès et à l'argent, cela nous suffit. Mais il est dix heures, la banque doit être ouverte ; voici une procuration. Vous apporterez cinquante mille dollars pour la paye de demain.

– Je suppose que vous avez l'habitude de faire accompagner celui qui transporte de telles valeurs, dit André un peu nerveusement.

– Ah ! ah ! répondit narquoisement le chef de bureau. Le montant vous fait-il peur ? Voici pour un million de piastres d'obligations que vous déposerez en garantie pour les avances dont nous avons besoin ! Comme vous êtes un peu nerveux, cependant, je vais vous faire accompagner. Peter ! dit-il au gardien, *accompany the kid to the bank, he is shy !*

– Ho ! ho ! ho ! répondit en riant le gros Américain, d'un ton comme s'il fût habitué à manier des millions ; les Canadiens-Français ont peur des gros magots, c'est peut-être pourquoi ils sont restés pauvres !

Ils partirent tous les deux, sans qu'André daignât répondre aux quolibets de son compagnon.

XV

Aussitôt après leur départ, l'ingénieur entra en colère dans le bureau de la comptabilité.

– Monsieur Jarvis ! dit-il, j'ai entendu toute la conversation qui vient d'avoir lieu entre vous et le jeune homme que je vous ai confié. Je n'ai pas l'habitude d'écouter aux portes, mais vous aviez laissé la vôtre ouverte ; je ne tolérerai pas de quolibets désobligeants à l'égard de ce jeune homme ; tenez-vous-le pour dit !

L'ingénieur referma la porte avec fracas, sans attendre les explications de son chef de bureau. M. Jennings était cependant un peu nerveux au sujet d'André. Sans douter de son honnêteté, c'était peut-être une tentation trop forte pour un jeune homme de son âge, que de lui confier de si grosses sommes. Il ne dit rien à personne, se coiffa de son casque de montagne, endossa son « chat sauvage », et les suivit de loin.

À peine André et le gardien avaient-ils franchi un demi-mille, que deux hommes masqués sortirent du taillis qui longe la route de l'Isle Maligne à Saint-Joseph-d'Alma et suivirent de près les deux compagnons de route. À un tournant du chemin, un des individus qui marchait sur la pointe des pieds s'empara du sac de cuir dans lequel étaient contenues les valeurs, pendant que l'autre saisit le gros gardien par derrière et le renversa par terre.

André saisit d'un coup d'œil toute la situation et le pénitencier Saint-Vincent-de-Paul se dressa tout à coup devant lui en fantôme. C'était sa première chance de se servir des tours de la « savate » française, qu'il avait appris, et vif comme l'éclair il frappa de ses deux bottes son agresseur en pleine figure. Celui-ci tomba inerte sur la neige, saignant comme un bœuf. Comme l'autre allait à son secours, un coup de botte du pied gauche l'envoya rouler par terre à son tour. Pour être sûr de ne pas les échapper, il les ficela l'un à l'autre en attendant d'aller chercher du secours.

Allait-il rebrousser chemin après ce contretemps ? Non, M. Jarvis lui avait confié des valeurs pour la banque ; il les livrerait d'abord, puis rapporterait les cinquante mille dollars pour la paye, sans quoi on pourrait le réprimander. Une heure de retard retarderait la paye d'autant et il n'en prendrait pas la responsabilité.

M. Jennings, qui applaudissait de loin à cette scène épique, continua de suivre le couple pendant quelques instants, puis rebroussa chemin. Le gros gardien s'en allait en se tenant la tête, pour réprimer la douleur que lui avait causée le coup de massue du bandit. André hâtait le pas pour n'être pas en retard.

Le chef du bureau avait reçu un téléphone du gérant de la banque l'avertissant que les valeurs n'étaient pas encore arrivées. Il alla pour en prévenir l'ingénieur, mais on lui apprit que, contrairement à son habitude, il était allé faire une marche. La cloche du téléphone le rappela à son bureau.

– Allo ! Allo ! Monsieur Jarvis ? C'est le gérant de la Banque.

– Oui, oui.

– Votre commis est arrivé avec les valeurs. Il était en retard, ayant été attaqué en route par des bandits ! Je l'envoie reconduire en voiture sous la garde d'un homme de police.

– Très bien ! Puis se parlant à lui-même, en remettant l'acoustique à sa place : Ça commence bien ! Une prétendue attaque... le premier matin... Si ça ne finit pas comme je l'ai prévu ? Et M. Jennings qui n'est pas là ! C'est lui qui va être édifié de son protégé !

Comme il prononçait ces derniers mots, l'ingénieur entra dans son bureau.

– Ah ! Je suis heureux de votre retour !

– Et qu'y a-t-il ? reprit froidement M. Jennings.

– Il y a que ce jeune Canadien-Français que vous m'avez donné comme homme de confiance, commence bien... Si ça ne finit pas comme je m'y attendais !

– Et à quoi vous attendiez-vous ? Vous avez l'air tout nerveux ; ce n'est pourtant pas votre habitude.

– Il y a de quoi ! Selcault prétend avoir été attaqué par des bandits !

– Il n'était pas seul ; d'ailleurs, si ce n'est pas vrai, le gardien l'accompagne, il nous dira la vérité !

– Mais ils pourraient bien être complices !

– Mais ! il y a toujours le mais ! Jusqu'à preuve du contraire, je continuerai ma confiance à ce jeune homme. Les voici qui arrivent en voiture.

- Vous avez fait un bon voyage ? dit le chef de bureau en apercevant les deux compagnons.

- Veuillez d'abord compter ces valeurs, dit André en guise de réponse.

Ce fut le vieux gardien qui se chargea d'apprendre la nouvelle.

- Je vous assure que nous en avons subi une attaque !

- Oui ? répondit l'ingénieur d'un air simulant l'étonnement.

- Et je vous assure que ça ne m'a pas pris de temps à leur faire leur biscuit, à ces mécréants. Puis il raconta avec force détails sa version de l'attaque.

- Si je n'avais pas été là, je ne sais pas ce qui serait arrivé au petit « Frenchman », dit-il comme conclusion.

- Un petit « Frenchman » de six pieds sait quelquefois se défendre, répliqua toujours froid M. Jennings. Quant à moi, je n'aimerais pas à le rencontrer dans une lutte de « savate » !

- « Savate », *what is that ?*

- C'est un petit coup de pied qui ressemble n peu au coup de pied de l'âne. Vous connaissez ça le coup de pied de l'âne ?

- Non !

- Vous le pratiquez pourtant bien.

- Oh ! oh ! ça doit être ça, reprit le gardien entre ses dents. Vous a-t-il déjà donné une exhibition de cet art ?

- Oui, je l'ai déjà vu à l'œuvre !

- J'aimerais bien à voir ça, dit le vieux gardien, devenant familier.

- Quelquefois ça se fait si vite, qu'on n'a pas le temps de voir !

- Aurait-il deviné ce qui s'est passé ? se dit le gardien en face du sang-froid de son maître.

André vint donner des explications à l'ingénieur sur l'ordre du chef de bureau, qui ne s'était pas gêné pour lui dire qu'il n'ajoutait pas foi à la prétendue attaque.

– Comme M. Jarvis a l'air de ne pas me croire, Monsieur Jennings, je ne vois pas comment je puis continuer à travailler ici, dit tristement André à la fin de son récit de l'incident.

– Si M. Jarvis ne vous croit pas, je vous crois, moi ! Cela vous suffit-il ?

– Vous êtes vraiment bon, Monsieur Jennings, et je ne saurais trop vous remercier de la confiance que vous me témoignez.

– Je vous ai vu à l'œuvre, jeune homme ! Un homme qui risque sa vie pour son semblable n'est pas malhonnête. Retournez à votre travail et soyez bien tranquille.

L'ingénieur ne révéla pas à André qu'il avait été témoin de sa lutte avec les bandits, ni ne laissa-t-il savoir à son chef de bureau ce qu'il avait vu de ses propres yeux.

XVI

La débâcle

Un mois s'écoula sans qu'aucun incident fâcheux se produisit. André fréquentait souvent l'hôpital d'urgence et semblait très intéressé à la petite infirmière, qui le payait bien de retour.

Les roches parlent, au Lac-Saint-Jean, comme partout ailleurs. Le nouvel exploit d'André fut connu de tous, même avant l'enquête et le procès qui conduisit les deux bandits au pénitencier.

Le soleil d'avril ayant commencé son œuvre, la débâcle avait eu lieu sur les petits cours d'eau. On attendait encore celle du Saguenay, qui était en retard. Un beau dimanche après-midi, alors que le travail infernal se poursuivait comme d'habitude, André rendit visite à la garde-malade qui, elle non plus, ne chômait pas le dimanche. La conversation roula sur le sermon du curé qui avait pris pour thème, le matin même, ces paroles de la Bible, tirées de l'Exode : On travaillera six jours ; mais le septième jour sera un repos complet consacré à Jéhovah. Quiconque travaillera le jour du sabbat sera puni de mort !...

Tout à coup, un bruit sinistre se fit entendre dans la direction de la chute. Les lamentations des pauvres ouvriers qui se trouvèrent prisonniers sur un petit îlot furent bientôt couvertes par le fracas qui se dégageait d'un amoncellement de glace en face des travaux en cours. Cette catastrophe, que l'on redoutait depuis le barrage du côté est de l'île, était enfin arrivée. Une nuit chaude et pluvieuse suivie d'une journée ensoleillée avait déchaîné les éléments destructeurs. Le torrent impétueux charroyait des morceaux de glace immenses qui formèrent un barrage solide quelques arpents plus bas. Boîtes par-dessus boîtes de dynamite furent jetées sur l'amoncellement menaçant ; mais les multiples explosions n'eurent aucun effet. L'eau commença à envahir les forges. Les feux s'éteignirent et déjà l'obscurité régnait sur les lieux, quand, tout à coup, au milieu d'un bruit épouvantable, le barrage de glace céda, entraînant tout après lui dans le torrent impétueux. Combien de vies humaines périrent dans cette hécatombe ? Dieu seul, vengeur de son jour profané, le sait.

Le lendemain, quand le jour pointa à l'horizon, l'ingénieur Jennings était sur les lieux, attendant pour voir l'étendue du désastre. Il fut tout surpris de voir André à ses côtés qui, lui aussi, était anxieux de voir les dégâts causés par la débâcle.

– Est-ce vrai, lui dit l'ingénieur, que le curé a prêché contre nous hier ?

– Je ne saurais dire qu'il a prêché contre vous ; mais je sais qu'il a prêché contre la violation du dimanche et que, citant les paroles de l'Exode, il a dit : Celui qui travaillera le jour du sabbat sera puni de mort.

– Ma foi, si j'étais superstitieux,.. je croirais qu'il l'a souhaité..., mais heureusement je n'ai pas de ces faiblesses, s'empressa-t-il d'ajouter.

– Pour moi qui ai la foi, répondit André, j'y vois la main de Dieu !

– Croyez-vous que Dieu s'occupe de ces misères et qu'il ait fait fondre la neige cet avant-midi pour donner raison au curé d'Alma ?

– Je n'affirme rien, mais je sais que Dieu punit souvent les hommes par où ils ont péché.

– Ce sont des histoires pour les vieilles femmes, ça. Un homme ne se laisse pas influencer avec ces balivernes.

– Plus grand que vous s'est trompé, Monsieur Jennings. Napoléon n'avait-il pas posé au pape Pie VII cette question provocatrice : Les armes tomberont-elles des mains de mes soldats ? À qui la campagne de Russie a-t-elle donné raison, au Pape ou à l'empereur ?

– Je crois, en effet, que la chance n'a pas toujours servi Napoléon.

– Eh bien ! moi je crois que c'était le châtiment de Dieu !

– Et vous en concluez que c'est Dieu qui a fait arriver la débâcle un dimanche, pour nous punir.

– Je ne juge personne, Monsieur Jennings, je me contente de constater... et de regretter.

– Eh bien ! continua-t-il, nous en serons quittes pour réparer les dommages. Nous mettrons une équipe de nuit pour réparer les dégâts d'abord, et pour reprendre le temps perdu ensuite. Il faut que dans un mois rien ne paraisse lors de la visite des directeurs.

L'ingénieur et André partirent ensemble pour aller prendre leur déjeuner au *Staff House.* M. Jennings, songeur, ne dit un seul mot tout le long du trajet et, en rentrant à leur logement, il ne proféra qu'une seule parole, sans aigreur : *Bad luck !*

Le lendemain, les journaux du Canada tout entier publiaient la triste nouvelle de la mort de centaines d'ouvriers et des pertes matérielles d'une valeur d'au delà d'un million de dollars. Heureusement pour les Canadiens, cette fois, peu des leurs furent noyés. Ce furent ces pauvres infortunés de Polonais qui payèrent le tribut à Dieu.

– Pauvres « Pollocks » ! a dû dire la maîtresse de pension de Saint-Joseph-d'Alma. Encore eux qui paient pour les Américains ! Ce sont bien toujours les bons qui paient pour les méchants, a-t-elle dû ajouter.

XVII

L'ingénieur Jennings se mit à l'œuvre immédiatement pour réparer les dégâts. Le génie qui avait présidé aux préliminaires du barrage ne se laissa pas décourager par ce contretemps et sa belle humeur n'en souffrit pas. Les travaux marchèrent jour et nuit et un mois à peine suffit à déblayer le terrain. Les forges remplacées crachaient de nouveau leur fumée noire, pendant que les enclumes résonnaient sous les coups cadencés des marteaux, frappant l'acier rougi qui se transformait en perforateurs ou autres outils nécessaires à l'entreprise.

Les cadavres des noyés, repêchés, furent enterrés tout près, dans un petit cimetière improvisé. Une humble croix de bois noir, portant le nom des victimes connues, fut placée en tête de chaque fosse pour marquer l'oubli suprême sous le symbole du sacrifice !

Quand les directeurs de la Compagnie de construction arrivèrent, M. Jennings les reçut avec le large sourire qui illuminait sa figure franche, chaque fois qu'ils venaient visiter les travaux.

L'ingénieur était à expliquer aux directeurs les dommages causés par la débâcle, quand on entendit tout à coup une vive clameur monter du gouffre où étaient les ouvriers. Cinq cents hommes armés de pics et de pelles menaçaient la vie du contremaître.

L'ingénieur en second escalada la falaise pour venir avertir l'ingénieur de ce qui se passait. Celui-ci se précipita vers le lieu du désordre pour essayer de faire entendre raison aux émeutiers. En dépit de ses efforts, les vociférations de ces pauvres mercenaires s'accentuaient. Ils menaçaient maintenant l'ingénieur lui-même, qui dut se réfugier dans son bureau avec les directeurs. Pâle de colère devant ce scandale qui éclatait à un moment si inopportun, il saisit le revolver qui était sur le bureau du comptable, et partit pour sortir, quand celui-ci l'interrogea.

– Qu'y a-t-il donc ? dit-il, n'ayant rien entendu des clameurs venant du dehors.

– Il y a..., il y a..., que je vais de ce pas flamber la cervelle à ces brutes qui choisissent un aussi mauvais moment pour créer du trouble et ruiner ma réputation. Ils mourront ou je mourrai moi-même.

Jarvis se contenta de sourire, heureux des difficultés auxquelles son maître était en butte.

- *Go to it,* dit-il entre ses dents en tournant le dos à son chef.

- Pardon, dit André d'un air plus sympathique, si vous permettez, j'essaierai bien de les calmer.

- Vous ne savez pas ce que vous dites, répondit sèchement l'ingénieur en le regardant fixement dans les yeux, comme un homme qui perd tout à coup la raison. Croyez-vous que vous réussirez où j'ai failli ?

- Sans trop présumer de mes forces, je puis toujours essayer, répondit André sans paraître du tout impressionné.

Des coups violents retentirent dans la porte du bureau de l'ingénieur. La meute avait gravi les escaliers, brisant tout sur son passage, et menaçait maintenant M. Jennings dans son bureau. Sans attendre de réponse, André se précipita à l'extérieur et s'adressa en polonais aux émeutiers.

- Camarades ! dit-il, ce n'est pas ainsi qu'on s'y prend pour faire redresser ses torts ; la violence est mauvaise plaideuse...

Cinq minutes s'étaient à peine écoulées depuis qu'André avait commencé à les haranguer que les applaudissements marquaient l'approbation des paroles de paix qu'il leur adressait. L'acte de bravoure du jeune comptable était encore présent à la mémoire des ouvriers qui avaient été témoins du repêchage de Jack Brown, leur compagnon de travail.

- Expliquez vos griefs paisiblement, dit André en manière de péroraison. M. Jennings est le plus sympathique et le plus juste des hommes. Je serai votre interprète auprès de lui. Retournez immédiatement au travail et demain l'ingénieur recevra toute délégation que vous voudrez bien lui envoyer.

Après une dernière démonstration de sympathie à André, les ouvriers retournèrent à l'ouvrage.

- Rendez-moi mon revolver, dit tout simplement André à l'ingénieur en rentrant.

Celui-ci le lui remit d'un geste nonchalant et resta longtemps silencieux après que le jeune comptable fut retourné à son pupitre.

- Quel est ce jeune homme qui a une si grande influence sur ces étrangers ? demanda M. Hugh Drassel, un des directeurs.

M. Jennings parla tout bas aux directeurs et finalement interpella André.

- Selcault, venez ici, dit-il en ouvrant la porte ; puis continuant à brûle-pourpoint : Où avez-vous appris le polonais ?

- Mais avec les Polonais sans doute, répondit André presque moqueur.

- Vous fréquentez les ouvriers ?

- Non, Monsieur.

- Alors expliquez-vous, où l'avez-vous appris ?

- Pendant ma convalescence à l'hôpital d'urgence. Vous savez, j'y ai passé plusieurs mois. Pour me récréer, Mlle Poisson, l'infirmière, qui le parle très bien, me l'a appris un peu et ensuite j'ai continué avec les Polonais qui étaient à l'hôpital.

- Ces Canadiens-Français ont la facilité des langues, dit l'ingénieur se tournant du côté des directeurs. Et qu'avez-vous dit à ces enragés pour qu'ils se soient si vite calmés ?

- Je leur ai dit qu'il y avait certainement un malentendu ; que vous étiez un homme juste et droit ; que leurs réclamations seraient examinées avant d'être rejetées. J'ai même fixé une entrevue avec vous pour demain matin. Ils enverront une délégation de trois seulement, et je leur ai promis que vous la recevriez.

- Vous prenez du galon, jeune homme !

- Ça peut être parfois prudent d'en prendre, pour éviter à d'autres de perdre les leurs.

- Vous avez raison, Selcault, et je vous félicite ; mais pourquoi n'ont-ils pas voulu m'écouter quand je leur ai parlé ?

- Parbleu ! vous leur avez parlé anglais et ils n'y ont compris goutte. Ils ont cru que vous vouliez les régenter et ils n'étaient pas disposés à recevoir des reproches quand ils en avaient à vous faire.

- Vous réglerez vous-même le différend ; c'est vous qui les recevrez demain matin ; je vous donne carte blanche.

- Mais...

- Il n'y a pas de mais ! je pars ce soir pour New-York, vous dirigerez les travaux sous la direction du second ingénieur jusqu'à mon retour.

XVIII

Le lendemain matin la délégation fut reçue par André. Après avoir entendu leurs griefs, on en vint à un arrangement satisfaisant aux deux parties.

Au retour de l'ingénieur de New-York, tout était rentré dans l'ordre et les travaux se poursuivaient avec entrain. Celui-ci n'en fit pas moins mander André auprès de lui.

– Quels étaient les griefs des travailleurs ? demanda M. Jennings sans emphase.

– Leurs griefs n'étaient pas très graves. Vu les nombreux accidents auxquels ils sont constamment exposés, ils ont demandé deux hommes de garde, des leurs, qui ne seraient pas astreints au travail régulier, pour les avertir en cas de danger.

– Ah ! je croyais qu'il s'agissait du travail du dimanche. Peut-être, me suis-je dit, le curé leur aura monté la tête !

– En ce cas, Monsieur Jennings, s'il se fût agi d'une question de principe, ils m'auraient trouvé de leur côté !

– Vous m'amusez toujours, vous, avec vos principes ! Mais là n'est pas la question : avez-vous accordé ce qu'ils demandaient ?

– Certainement ! Je n'aurais pas voulu...

– Je ne vous demande pas d'explication ! Sont-ils satisfaits ?

– Parfaitement !

– C'est pour cette bagatelle qu'ils ont fait tout ce bruit ? Pourquoi ne me l'ont-ils pas demandé plus tôt ?

– Ils se sont plusieurs fois adressés au contremaître, qui les a toujours repoussés brutalement. C'est à la suite de deux nouvelles noyades qu'ils se sont soulevés. L'émeute a éclaté après un nouveau refus de se rendre à leur légitime demande.

– Quelle stupidité de la part de Murphy, j'ai bonne envie de le congédier.

– Il croyait sans doute bien faire.

– Vous êtes indulgent, Selcault !

– Il vaut souvent mieux pardonner que de châtier, quand

l'intention n'est pas mauvaise.

– Mauvaise ? Peut-être que non. Stupide ? Oui ! Sur votre conseil, cependant, je lui donne une autre chance ; mais qu'il se tienne pour averti. Quant à vous, Selcault, vous m'avez empêché de commettre la bêtise de ma vie. Je vous accorde une augmentation de cinquante dollars par mois.

– Je vous remercie, Monsieur Jennings ; mais mon salaire sera plus élevé que celui de Jarvis ; il ne sera pas content !

– Si je n'avais eu que la tête de Jarvis à mon service, mes mains seraient teintes de sang, ou j'aurais succombé sous leurs coups ! Qu'il se contente du salaire qu'il mérite !

La bonté naturelle d'André le faisait s'apitoyer sur le sort de celui qui cependant avait essayé de le couler, dès les premiers jours de son entrée au service de la Compagnie de construction. Il retourna à son poste sans rien dire à Jarvis, de peur de lui faire de la peine.

XIX

La famille Drassel

Hugh Drassel, multi-millionnaire, propriétaire des plus grandes pulperies du Lac-Saint-Jean et du Saguenay, était marié à une Canadienne-Française. Écossais, catholique de naissance, il s'était épris de Victoria Dumesnil, fille d'un riche marchand de la région, et l'avait épousée peu de temps après son arrivée au Canada.

M. Drassel n'était pas riche, quand il débarqua au pays. Ayant quelques économies, il s'était lancé dans le commerce du bois à papier. D'heureuses spéculations lui procurèrent bientôt une fortune enviable, qui ne fit que s'accroître d'année en année. Il avait déjà atteint l'aisance quand il épousa Mlle Dumesnil, réputée la plus belle aspirante de la petite ville de Chicoutimi. De ce mariage naquit Agathe, fille unique, au grand regret de M. Drassel, qui aurait bien aussi désiré un fils.

Malgré leur richesse qui était devenue opulente avec les années, les Drassel n'en menaient pas moins une vie assez modeste, pour des gens de leur condition.

À l'âge de dix ans, Agathe avait été confiée aux Dames de la Présentation de Marie, à Coaticook, pour y poursuivre ses études et parfaire son éducation. Pourquoi M. Drassel avait-il choisi la perle des Cantons de l'Est pour y envoyer sa fille ? Mme Drassel s'y était d'abord opposée, disant que c'était trop loin de Chicoutimi ; mais M. Drassel était resté inflexible. Écossais de sang, il tenait sans doute à ce que sa fille apprît l'anglais en même temps que le français, et même qu'elle l'apprît à la perfection. En plus, le couvent de Coaticook offrait toutes les garanties d'hygiène possibles, étant situé dans une petite ville où tout respire la propreté, où l'on jouit de tout le confort moderne.

Agathe n'avait peut-être pas hérité de la beauté remarquable de sa mère, mais elle avait de plus belles qualités. Sa bonté, ses bonnes manières, sa jovialité et son étonnante humilité étaient remarquables.

Au Pensionnat de la Présentation, à Coaticook, elle ne faisait jamais parade de ses richesses, et rien ne pouvait laisser croire qu'elle fût fille de millionnaire. Seule sa générosité envers ses compagnes moins fortunées aurait pu laisser soupçonner de l'aisance chez ses parents.

Une chevelure dorée, abondante, encadrait une figure qui respirait la bonté et une vive intelligence, sans rien de plus remarquable. Ses études finies, comme toutes les jeunes filles, elle retournait heureuse à la maison paternelle.

« The Mansion », la belle résidence des Drassel, dressait ses deux élégantes tours dans les flancs du rocher escarpé qui borde le Saguenay, à quelque distance de Chicoutimi. Le personnel de la maison était débordant d'activité ce soir du 28 juin où l'on attendait le retour d'Agathe. Contrairement à ses habitudes, M. Drassel commandait nerveusement aux serviteurs. Doué d'un tempérament froid, il donnait l'aspect d'un homme d'une sévérité extrême à l'usine. À la maison, il était le plus débonnaire des hommes : bon papa, bon époux.

La maîtresse de la maison, quoique hautaine de sa nature, subissait l'influence de son mari. Elle semblait oublier et faire oublier aux autres l'immensité de leur fortune. Un peu fermés tous les deux, ils recevaient très peu de visiteurs. Mme Drassel se prêtait bien une fois ou deux par année à des réunions mondaines où elle ne manquait pas de briller par sa beauté qui semblait éternelle. À quarante ans, elle n'avait pas encore eu recours à cette « beauté empruntée » qui « répare des ans l'irréparable outrage ». Le calme du foyer lui avait été, de ce côté, salutaire.

Tous les serviteurs étaient sur pied en attendant l'arrivée d'Agathe : la bonne Agathe, comme l'avaient surnommée ses compagnes de pensionnat. « The Mansion » était éclairée *a giorno*. Le chauffeur était depuis huit heures à la porte, attendant le signal d'aller à la rencontre du train qui n'entrait en gare de Chicoutimi qu'à neuf heures.

À peine le train fut-il entré que M. et Mme Drassel, nerveux, se rencontrèrent sur le portique de la porte cochère.

– Et que fais-tu ici ? demanda un peu gêné M. Drassel à son épouse.

– Peut-être ce que tu fais toi-même, répondit en riant Mme Drassel.

– En effet, dit-il, je crois que nous nous devinons tous les deux. Vois-tu, c'est une époque dans la vie d'une jeune fille, que sa graduation. Nous aurions dû nous rendre à Coaticook pour la circonstance !

– Il est trop tard pour le regretter, Hugh ! D'ailleurs, il vaut mieux qu'il en soit ainsi. Elle a dû en éprouver une petite contrariété : ça l'habituera aux épreuves de la vie. Elle a vu elle-même à son transport et, tu sais, c'est commode de savoir se débrouiller dans la vie.

– Ah ! ce n'est pas que j'aie des inquiétudes sur son avenir ; j'y ai pourvu. J'ai confié à une compagnie de fiducie une somme suffisante pour assurer son confort.

– Oh ! oh ! Tu ne m'avais pas dit ! De combien la dotes-tu ?

– Dix millions de dollars... et naturellement... quand nous serons disparus tous les deux, elle héritera de la fortune.

– Et les usines ? reprit tristement Mme Drassel. Quel dommage que nous n'ayons pas un fils !

– Ce que j'ai toujours déploré ; mais à défaut d'un fils, il peut y avoir un gendre.

– Et le nom ? questionna plaisamment Mme Drassel.

– Voilà ! Mais que veux-tu, on ne refait pas le passé, et le temps passe si vite ! Il y a à peine vingt ans que j'ai commencé à édifier cette fortune, et déjà la question se pose : à qui la léguerai-je ?

– Mais ne te presse pas ! Tu as encore quarante ans devant toi ! Tu mènes une vie régulière. Il est vrai que tu te surmènes un peu, mais plus tard, peut-être plus tôt que tu ne le penses, tu pourras te reposer sur ton gendre et te la couler un peu plus douce.

– Oui, un fils à papa peut-être, dit mélancoliquement M. Drassel, c'est ça qui repose un homme.

– Agathe pourra choisir !

– C'est bien cela ! Agathe choisira ; mais qui choisira-t-elle ? Dans notre état de fortune, elle ne peut pas marier le premier venu. Tiens, sais-tu que je préférerais pour Agathe un homme que j'aurais formé moi-même à l'usine ; un jeune homme sobre, intelligent, que je pourrais intéresser ; c'est l'idéal qui me conviendrait.

– Les jeunes gens, forcés par nécessité de travailler et qui auraient les qualités nécessaires pour épouser Agathe, sont assez rares, je crois !

– En effet, je n'en connais guère qui lui conviendraient, et encore faudra-t-il qu'il soit catholique. Mais voici l'auto qui gravit la côte. Entrons, pour n'avoir pas l'air de deux amoureux en train de se conter fleurette.

Avant que le dialogue prit fin, la limousine était déjà à la porte cochère. D'un bond M. Drassel se précipita vers l'auto et ouvrit lui-même la porte. Agathe se précipita dans ses bras grands ouverts pour la recevoir.

– Où est maman ? dit Agathe en se dégageant des bras de son père.

– Mais tu ne la vois pas ? Elle est à mes côtés.

– Oh ! pardon, maman, je ne vous avais pas vue.

Une accolade en règle s'ensuivit et elle entra dans la maison accrochée au cou de son père et de sa mère pendant qu'un serviteur s'occupait, en turlutant, à rentrer les bagages.

– Bonjour, Arthur, dit aimablement Agathe au serviteur.

– Bonjour, Mamzelle Agathe, répondit-il gaiement, flatté de cette délicate attention.

– Ah ! comme on est bien chez nous, dit-elle en se jetant dans un grand fauteuil. C'est plus confortable que les bancs de l'école.

M. et Mme Drassel étaient comme des enfants en présence de cette grande jeune fille de dix-neuf ans, aimante, distinguée et sans affectation. Agathe possédait cette distinction naturelle aux enfants qui ne sont pas gâtés par les richesses, quoiqu'elle fût peut-être la plus riche héritière de la région. Elle fit le tour de leur spacieuse demeure pour se familiariser de nouveau avec les choses dont elle avait été privée pendant ses études. Elle touchait un à un les objets qui lui rappelaient les meilleurs souvenirs. Elle retourna ensuite s'asseoir près de ses parents pour leur raconter les événements de sa dernière année de pensionnat. M. Drassel parut heureux des réponses en parfait anglais aux questions qu'il lui posa dans sa langue maternelle.

Le grand manufacturier était très large en fait de nationalité. Il avait épousé une Canadienne-Française et s'adressait toujours à elle en français, qu'il parlait avec un léger accent étranger ; *blood is thicker than water,* comme disent les Britanniques, et M. Drassel n'avait pas échappé à la règle ; c'est pourquoi les réponses spontanées d'Agathe en anglais lui avaient fait énormément plaisir.

Ils causaient avec animation de choses et autres quand, à une heure assez tardive, M. Drassel était appelé au téléphone de longue distance pour une affaire importante.

– On doit ignorer l'arrivée d'Agathe, dit tout simplement le millionnaire bon papa, car on ne me dérangerait pas à cette heure avancée !

– Allo ! dit M. Drassel d'une voix grave.

– Allo ! répondit une voix plus douce. C'est William Jennings. Excusez-moi de vous déranger, mais j'ai cru qu'à titre d'un des principaux actionnaires du barrage vous seriez intéressé à savoir que les travaux sont terminés. Nous sommes à liquider le personnel (si je puis me servir de cette expression), et comme j'ai entendu dire que vous étiez à la recherche d'un comptable-expert, j'en ai un à vous offrir.

– Oh ! oui, Jarvis, je suppose ?

– Non, c'est un nommé Selcault, un jeune Canadien-Français qui nous a rendu de grands services. Vous vous rappelez sans doute l'émeute qu'il a enrayée peu de temps après les dommages causés par la débâcle.

– Oui, oui, je m'en souviens. Quel salaire commande-t-il chez vous ?

– Trois mille six cents.

– Je lui en donnerai cinq mille s'il fait mon affaire ; mais vous savez que je suis difficile. Il faut qu'il soit sans reproche !

– Je puis vous le recommander ; mais pour être franc et loyal envers vous, je dois ajouter qu'il a un casier judiciaire.

– Alors n'en parlons plus. Je vous remercie, Jennings, d'avoir pensé à moi, mais...

– Pardon, Monsieur Drassel, si j'insiste. Je vous raconterai son histoire de vive voix, ce qui vous expliquera pourquoi je le crois digne de votre confiance. D'ailleurs, je l'ai mis à l'épreuve de toutes les façons et je puis en répondre.

– Très bien, alors, qu'il se présente à mon bureau demain matin. C'est la première fois de ma vie que je commets une faiblesse en affaires, dit M. Drassel en remettant l'acoustique à sa place.

– Qu'y a-t-il, reprit Mme Drassel, que tu as l'air contrarié et réjoui à la fois ?

M. Drassel raconta en famille la conversation qu'il venait d'avoir avec l'ingénieur Jennings, au sujet d'André Selcault, puis ils se retirèrent pour la nuit.

– Belle bévue ! Belle bévue ! répétait M. Drassel, en montant le grand escalier à palier qui conduisait à l'étage supérieur.

XX

Le lendemain matin, à neuf heures précises, André frappait à la porte du bureau de l'usine, où M. Drassel l'attendait, et présenta sa carte en entrant.

– Oh ! vous êtes le comptable que Jennings m'a recommandé hier au soir par téléphone, dit-il en regardant André dans les yeux par-dessus ses verres, qu'il avait laissés glisser sur le bout de son nez.

– Oui, Monsieur, répondit fermement André, quoiqu'il tremblât de tous ses membres au regard sévère de son interlocuteur.

– Vous savez, Monsieur, continua sévèrement M. Drassel, je ne fais jamais rien à la légère. Montrez-moi vos références !

Un second frisson passa sur l'épiderme d'André.

– Je croyais que M. Jennings m'avait recommandé, répondit-il timidement.

– Passe pour Jennings, j'ai la sienne, sans quoi je ne vous aurais pas dérangé.

– Vaut mieux vous le dire tout de suite, Monsieur, quand je suis entré à l'emploi de M. Jennings, je sortais du pénitencier.

– Et Jennings vous a accordé sa confiance ?

André raconta les circonstances de son engagement, après quoi M. Drassel reprit :

– À part cela, rien d'extraordinaire dans votre vie ?

– Pas que je sache.

– J'aime votre franchise, jeune homme !

– Je dois ajouter que mon nom n'est pas Selcault, mais Lescault.

– Qui ? Comment ? le voleur de la Banque du Canada ?

– À ce que l'on dit !

– Et vous, qu'en dites-vous ?

– Je dis que j'ai été victime d'une erreur judiciaire ; mais comme toutes les preuves ont été contre moi et que je n'ai que ma parole pour prouver le contraire, je crois plus sage de me taire. D'ailleurs, vous m'avez l'air très au courant de l'affaire.

– En effet, je suis directeur de la Banque du Canada ! Et depuis, votre conduite a été bonne ?

– Demandez à M. Jennings. C'est tout ce que je puis vous dire.

– J'ai d'ailleurs déjà entendu parler de vous, continua M. Drassel d'une voix qui s'adoucissait à mesure qu'il parlait. J'étais présent lors de l'émeute au barrage. Je sais quel service vous nous avez rendu, surtout à Jennings qui a failli perdre la tête. Voici votre pupitre ; vous vous familiariserez avec le système de tenue de livres. Vous pourrez loger au *Staff House* en attendant de vous trouver une autre pension, si vous le désirez.

XXI

Dans l'après-midi, l'ingénieur Jennings frappait à la porte du bureau de M. Drassel.

- *Come in, Jennings,* lui dit familièrement le maître de céans, puis ajoutant aussitôt : Quelle mouche vous a piqué pour me recommander de confiance un repris de justice ? Vous savez qu'il se manipule des millions ici ! Je connais l'histoire de Lescault. Je suis directeur de la Banque du Canada et un de ceux qui ont le plus insisté pour que le procès soit poussé jusqu'au bout.

- Mon père est aussi directeur américain de la Banque du Canada.

- Oui ! Alors comment se fait-il ?...

L'ingénieur l'interrompit pour lui raconter en détail tout ce qu'il ignorait d'André à partir de son engagement. Il lui raconta entre autres l'histoire de l'attaque des bandits sur le chemin d'Alma, les mille et un pièges qu'il lui avait tendus, sans qu'il fléchisse jamais, et ensuite les nombreux services qu'il avait rendus auprès des travailleurs dont il parlait la langue.

- Alors, vous croyez à son innocence ? Vous vous placez au-dessus des juges et des jurés qui l'ont condamné ?

- Je le juge d'après sa conduite, depuis qu'il est à mon emploi. Je ne lui connais qu'un travers, c'est son opposition au travail du dimanche.

- Entre nous, Jennings, savez-vous que la question est à l'état aigu dans cette province ? Je comprends comme vous la nécessité du travail du dimanche, mais la question se pose résolument devant le peuple. Il ne faut pas oublier que si nous avons des droits, nous avons aussi des obligations. Personne plus que moi ne serait heureux de trouver une solution à cet imbroglio, mais, s'empressa-t-il d'ajouter, si je fermais mes usines le dimanche, j'en souffrirais un dommage énorme !

- Alors nous sommes d'accord ?

- En fait, oui, en principe, non !

- Alors le fait l'emporte sur le principe, dit l'ingénieur un peu gouailleur.

– Il faudra pourtant un jour concilier les deux. Vous n'ignorez pas qu'une loi sévère défend le travail du dimanche au Canada.

– Oh ! ces lois sont faites pour être transgressées. C'est de la poudre aux yeux. En pratique, que vaut-elle cette loi ? Mobiliserait-on les troupes pour la mettre en force ?

– Il est tout de même dangereux de jouer avec le feu, Jennings. Ces lois d'élémentaire prudence n'ont pas changé depuis que nous avons quitté les bancs de l'école.

– À la guerre comme à la guerre, alors. Il sera toujours temps d'éteindre le feu, quand il prendra. Il y a assez d'eau dans le lac Saint-Jean pour l'éteindre.

– Que voulez-vous dire ?

– Je précise : les intérêts en jeu sont trop considérables pour qu'on ose les attaquer de front.

– Les grands, les gouvernants, oui, je crois que nous pouvons compter sur eux. Ils sont intéressés au progrès, mais les petits, les humbles, ceux en un mot qui croient sincèrement au troisième commandement. Et puis il y a le clergé, les journaux !

– Ah ! les journaux d'aujourd'hui sont des usines à nouvelles. Ça s'achète des usines, fussent-elles à nouvelles !

– Il y a encore des journaux de principes. Vous ne les connaissez pas, parce que vous ne les lisez pas ! Allez donc acheter un évêque par exemple. Je dirai plus : allez donc acheter le curé d'Alma !

– Il faudrait certainement du temps ! J'admets les obstacles, je les adore !

– Vaut encore mieux adorer Dieu, Jennings ! À propos d'obstacles, avez-vous appris le polonais ?

– Pourquoi cette question ?

– Je vous pose une autre question : que serait-il advenu de vous si Selcault n'avait pas su le polonais ? C'est un obstacle, celui-là : la langue ! On ne connaît pas l'âme d'un peuple sans connaître sa langue. En l'ignorant, sa mentalité nous échappe. C'est pourquoi j'ai appris le français en venant au Canada, dans la province de Québec.

– Vous m'avez donné une bonne leçon, j'en profiterai, dit l'ingénieur, en prenant congé de M. Drassel.

André avait, sans le savoir, défrayé les frais de la conversation sur la question du travail du dimanche. Elle avait peut-être fait un pas de géant, grâce aux principes immuables du jeune comptable, qui venait d'entrer en fonctions au service de M. Drassel.

XXII

Assis à son pupitre, André attendait anxieusement le résultat de l'entrevue de l'ingénieur avec son patron. Il ne fut pas longtemps dans l'attente, car à peine M. Jennings avait-il franchi le seuil de la porte, que M. Drassel pressa le bouton de la sonnette pour l'appeler.

– Monsieur Selcault, dit-il en donnant la main à André, l'entrevue que je viens d'avoir avec M. Jennings, à votre sujet, me satisfait. Vous entrez à mon service en qualité de comptable en chef à cinq mille dollars par année... si le salaire vous va.

– J'accepte avec reconnaissance, Monsieur Drassel.

– Je n'ai pas besoin de vous dire ce que j'attends d'un homme à qui je paie cinq mille dollars par année, reprit M. Drassel, d'un ton sévère.

– J'espère répondre à votre attente, répondit André, d'un ton rassuré.

– Le passé est effacé, Selcault, continua le patron plus doux : ici c'est l'avenir qui compte. Je désire prendre un congé dans un mois. Vous aurez probablement à me remplacer, de sorte qu'il vous faudra vous initier rapidement à la besogne tout en surveillant la comptabilité.

– À propos, dit André, j'ai remarqué ce matin en venant au bureau que la chaîne sans fin qui charroie les billes au moulin en échappait plusieurs. Ceci peut être la cause de l'insuffisance de l'alimentation des broyeurs dont vous me parliez hier ?

– Que me dites-vous ! Cette chaîne n'est pas encore réparée ? Faites venir le contremaître. Je veux savoir si c'est ainsi qu'on exécute mes ordres. J'ai constaté moi-même ce que vous me rapportez il y a déjà un mois et rien n'a encore été fait apparemment. Je vous remercie de me l'avoir rappelé. Continuez d'avoir l'œil ouvert.

Heureux d'avoir pu se signaler si tôt à son patron, André retourna à son pupitre et se mit résolument à l'audition des livres. Il mit à jour les erreurs qui avaient été commises par son prédécesseur, renvoyé pour incompétence.

XXIII

M. Drassel, qui n'avait pas l'habitude de retarder l'exécution de ses projets, ajourna cependant à six semaines son départ pour l'Europe. Il pensa qu'il n'était peut-être pas juste envers André de lui laisser une si grande responsabilité, avant qu'il ait pu s'initier complètement au fonctionnement de cette machine énorme que constituaient les usines de Chicoutimi.

Malgré la confiance qu'il témoignait à André, il pria Mme Drassel de faire de fréquentes visites à l'usine, sans cependant empiéter sur l'autorité qu'il avait confiée à son comptable. Il donna aussi la permission à sa fille de l'accompagner et même de visiter fréquemment l'usine. Comme Agathe affectionnait d'observer le rouage des énormes machines où la pâte de pulpe se transforme comme par enchantement en d'immenses rouleaux de papier, c'est avec un bonheur intense qu'elle accueillit cette permission.

Quelque chose de plus attrayant encore l'attirait au bureau de son père. Ce jeune homme avec qui elle aimait à causer, tout en examinant par-dessus son épaule la propreté de ses livres de comptes, la manière régulière avec laquelle il rangeait ses dossiers, la douce fermeté qu'il montrait en face des difficultés à surmonter avec des employés beaucoup plus âgés ; tout lui faisait admirer André. Elle ne laissa cependant rien percer de ce qui se passait dans son cœur. Sentant la distance qui les séparait, André s'était toujours montré d'une correction parfaite, craignant sans doute de subir les reproches de son patron ou d'essuyer le ridicule d'une prétention exagérée. Il sentait cependant dans son être une flamme qui ne l'avait jamais brûlé jusque-là. Ce feu qui le dévorait était bien, semblait-il, celui de l'amour. Il en sentait les morsures cruelles, sans espoir d'y appliquer le baume qui seul aurait pu le soulager : l'occasion inespérée de lui ouvrir son cœur. Il s'était fait à l'idée de l'aimer silencieusement, sans retour. Stoïquement, il décida d'endurer ce mal intérieur, véritable torture pour le cœur de celui qui, pour une raison ou pour une autre, doit garder le silence et aimer de cet amour muet, sorte de folie enivrante que le sacrifice sanctifie.

Quand M. Drassel jugea le temps opportun, il boucla ses malles pour l'Écosse, où il n'était retourné qu'une seule fois depuis qu'il avait quitté son pays pour venir s'établir au Canada. Son itinéraire comprenait aussi l'Angleterre, la France et l'Allemagne ; mais il devait séjourner deux semaines à New-York avant de s'embarquer.

Contrairement à son habitude, M. Drassel était taciturne avant son départ. Il lui en coûtait davantage, depuis le retour d'Agathe, de quitter ce foyer qu'il aimait tant. Étant avant tout un homme d'affaires, il n'hésita pas cependant, le moment venu, à quitter sa famille, après avoir fait ses dernières recommandations à son épouse.

Agathe brillait du désir d'aller à l'usine. Dès le lendemain du départ de M. Drassel, elle suggéra à sa mère l'idée d'une visite conjointe au cours de midi.

- Il ne faut pas laisser M. Selcault sous l'impression que nous le surveillons, avait répondu Mme Drassel. Nous irons demain après-midi.

- C'est long tout de même, maman !

- Mais quelle mouche te pique ? Tu les as déjà vues les usines et, comme je t'ai dit, il ne faut pas avoir l'air de surveiller ; je crois que tu aurais vite gâté la sauce, toi ! Ce serait différent si c'était ton frère qui était resté en charge des usines en l'absence de son père, mais...

- Toujours le même reproche, maman, dit Agathe d'un air de tristesse qui attendrit Mme Drassel. Ce n'est pas de ma faute, après tout, si je suis du sexe contraire à vos désirs ! À défaut de fils, il y a des gendres qui les remplacent et qui deviennent ensuite de vrais fils. Ça ne sonnera pas trop mal après tout quand vous direz : mon gendre ! continua-t-elle plus gaie.

- Nous verrons au gendre plus tard, répondit Mme Drassel, en s'amusant de la repartie d'Agathe. Tu ne penses pas déjà au mariage ?

- Toute jeune fille y pense, maman, répondit Agathe en rougissant. À moins de prendre le voile, je ne vois pas quel autre sort m'attend ! Tu n'aurais pas d'objection à un beau petit gendre ?

- Beau, c'est secondaire ; bon, ça compte ! Il faudrait que ce fût un homme d'affaires, ajouta-t-elle, ton père y tient ! Quant à moi ? Tu sais, c'est dangereux pour une jeune fille fortunée, le mariage.

- Je partage les idées de papa, répondit Agathe avec assurance.

Je veux pour mari un homme travaillant, qui fasse son chemin lui-même ; en un mot, un homme comme lui. Nous avons bien le droit d'aimer, nous aussi, les filles de riches, mais je préférerais cent fois rester fille plutôt que de ne pas épouser l'homme de mon choix !

– Rien de plus naturel ! Quand nous nous sommes mariés ton père et moi, nous nous sommes mariés librement !

– Oui, mais vous n'étiez pas riches, alors !

– Au commencement non, et pourtant nous étions heureux ! Avec quel bonheur je suivais le progrès des affaires de mon mari ! Je me réjouissais de ses succès comme je prenais part à ses revers ; jusqu'à ce qu'enfin la richesse nous envahit presque malgré nous. Tout ce que ton père touchait se transformait en or et la fortune montait, montait toujours, pour atteindre le chiffre fabuleux qui lui donne tant d'inquiétudes aujourd'hui. Quand je le vois songeur comme hier avant son départ, je me demande si nous ne serions pas plus heureux avec moins que nous ne possédons.

– Sais-tu, maman, que l'usine et moi sommes sœurs jumelles ? répondit Agathe pour détourner la conversation dans le sens qu'elle désirait.

– Tu es folle ! Pourquoi dis-tu cela ?

– C'est que nous sommes nées la même année, presque à la même heure, et comme c'est demain notre anniversaire de naissance, il faudrait bien que nous nous voyions une journée d'avance pour préparer notre programme de fêtes.

– Tu parles comme une enfant et tu penses à te marier ! Nous irons, cette après-midi même, mais sur le désir de ton père, non pour satisfaire tes caprices.

Agathe était rayonnante de bonheur à la pensée que son stratagème avait réussi, se disant en elle-même : Ce que femme veut, Dieu le veut ! Elle verrait André, regarderait par-dessus son épaule ses chiffres bien alignés. Elle serait si près de lui, si près qu'elle frôlerait même son habit sans qu'il s'en doute. Elle lui dirait un mot aimable, le féliciterait sur la belle apparence de ses livres, l'ordre dans ses dossiers. Peut-être serait-il moins fermé en l'absence de son père et lui répondrait-il aimablement ? Elle alla s'asseoir sur la véranda pour finir seule et savourer à son aise ce rêve qui la remplissait déjà de bonheur, quand un serviteur vint la prévenir qu'on l'attendait pour le dîner.

À peine sortaient-elles de table que Mme Drassel était appelée au téléphone. Mme Duprix lui annonçait sa visite avec Mme Wolfe pour l'après-midi, au grand désappointement d'Agathe.

XXIV

Le lendemain matin, le soleil apparut radieux derrière la montagne de l'autre côté du Saguenay, et darda de ses premiers rayons le miroir de la toilette d'émail blanc de la chambre à coucher d'Agathe.

Avide de soleil et de lumière, M. Drassel n'avait pas permis qu'on plantât d'arbres à moins de cinq cents pieds de la maison. L'immense pelouse sillonnée d'allées artistiquement disposées, bordées de fleurs odoriférantes des plus variées, fut bientôt inondée de soleil. Déjà une douce chaleur régnait à l'aurore de ce beau jour de fin juillet.

Tout était calme au dehors ; seul le chant plaintif d'un jeune chardonneret échappé de son nid tranchait sur le silence solennel du matin. Agathe entendit le cri de l'oiseau, se leva sans faire de bruit, et s'avança vers la fenêtre.

– Si j'allais chercher ce pauvre oiselet, se dit-elle, peut-être a-t-il perdu sa mère ? Attends-moi ! petit, chuchota-t-elle ; le temps de m'habiller et je cours à ton secours.

Un froissement d'aile, une petite gronderie de la mère chardonneret et tout rentra dans le silence.

Agathe n'en continua pas moins sa toilette, puis résolut d'aller humer l'air vivifiant du matin.

– Personne ne me verra, se dit-elle. Je vais aller faire une courte promenade. Je rentrerai avant l'éveil des serviteurs et nul ne saura que je suis sortie.

En un clin d'œil elle fut sur la pelouse, palpant les fleurs, humant leur parfum. Sans s'en rendre compte elle atteignit la grille. Péniblement, Agathe ouvrit la lourde porte de fer forgé et se trouva bientôt sur la grande route. À pas précipités elle prit la direction des usines qu'elle atteignit en quelques minutes, puis s'arrêta soudain pour contempler la nappe d'eau formée par le barrage. Seul, le vol d'une hirondelle, qui de temps en temps venait frapper de son aile l'eau limpide du lac artificiel, ridait légèrement sa surface plane.

Cette grande nature encore quasi sauvage, qui enivre même ceux qui en sont coutumiers, fascinait de plus en plus la jeune fille. Elle marchait, marchait, sans trop penser où elle allait, oubliant même que, l'heure filant, son absence éveillerait des inquiétudes à son égard. En suivant la berge escarpée qui domine le lac artificiel, la matinale promeneuse fut vivement tentée de se jeter à l'eau, tant celle-ci était invitante.

- Si je me baignais les pieds ? se dit-elle.

De la pensée elle passa à l'acte. Elle descendit la berge, s'accrochant aux pierres et aux petits sapins rabougris qui l'ornent de leur chétive apparence. Elle s'assit sur une pierre, enleva ses chaussures et se mit à barboter dans l'eau, s'amusant à regarder sur l'onde les petits îlots crêpés produits par les mouvements précipités de ses pieds. Tout à coup elle sentit glisser la pierre sur laquelle elle était assise. En vain essaya-t-elle de s'accrocher à quelque chose pour s'empêcher de tomber à l'eau, la lourdeur de la pierre l'entraîna avec elle. Elle lâcha un cri de détresse, mais l'onde perfide eut tôt fait de l'engloutir.

À quelque cent verges de là, passait André, qui avait pris pour habitude, même avant le départ de son patron, d'aller faire une tournée matinale d'inspection jusqu'à la prise des billots. Il voulait se rendre compte par lui-même de l'état des choses, afin de pouvoir discuter en connaissance de cause avec les contremaîtres de l'usine toute question qui se poserait.

Ayant entendu les cris d'une personne en détresse, il se précipita vers l'endroit où la voix avait été entendue. Stupéfait, il ne vit rien que l'eau agitée et bouillonnante, indiquant assez sûrement qu'une personne y était tombée. En un instant ses habits furent enlevés et il attendit la première émersion du noyé probable. Son attente ne fut pas longue. La belle tête blonde d'Agathe émergea soudain de l'eau. Sa figure était empreinte du désespoir qui s'était emparé d'elle à ce moment tragique. D'un bond il plongea à sa rescousse et la ramena inconsciente sur la berge, où il lui donna les premiers soins que requérait son état.

Quand elle eut donné signe de vie, André partit à pas précipités vers la demeure des Drassel avec son précieux fardeau sur le dos. La position d'Agathe sur ses épaules lui fit restituer l'eau qu'elle avait avalée. Le médecin, appelé en toute hâte, déclara qu'il y avait espoir de la sauver, quoiqu'elle fût encore inconsciente à son arrivée.

Mme Drassel était au désespoir de cette mésaventure arrivée en l'absence de son mari. Que dirait M. Drassel à son retour ? C'est elle qui essuierait les reproches, et quelle explication donner ? Elle n'allait pas en demander à André, et Agathe n'était pas en état de la renseigner. Comment expliquer cette fugue et cette coïncidence de la présence d'André au moment psychologique ? Mystère qu'elle ne pouvait éclaircir, mais dont son mari lui demanderait compte !

Au pays du Saguenay, les roches n'ont pas encore appris à parler, car celle sur laquelle Agathe s'était assise l'aurait bien avertie du danger. Par contre, si les pierres sont muettes, les langues sont bien déliées, et les imaginations, fécondes. Le haut commérage ne tarda pas à y voir un rendez-vous tragique, en un mot une affaire montée par le jeune aventurier, pour s'attirer les bonnes grâces de la famille. Quelques bonnes dames y voyaient une pêche miraculeuse aux millions, d'autres, plus charitables, une simple légèreté de la part d'Agathe.

Mme Duprix et Mme Wolfe ne furent pas lentes à venir s'enquérir de l'état d'Agathe. Le domestique les fit passer au boudoir privé de Mme Drassel. Mme Wolfe, qui n'aurait pas cédé sa place aux commères de la Côte Nord, ne pouvait rester en place. Elle se levait, gesticulait, se rasseyait, se levait de nouveau, faisant les cent pas.

– Drame bien monté ! dit-elle. Je suis persuadée qu'ils s'aiment ! Ils ne sont pourtant pas du même rang ! C'est un aventurier qui joue superbement son rôle, mais je connais quelque chose sur son compte qui lui fera bien baisser le nez ! Imaginez-vous, continua-t-elle d'un petit ton protecteur, que Mlle Drassel a refusé les avances de mon fils, un joueur de golf sans pareil, pour un simple comptable ! Les parents ignorent tout cependant. Gare au réveil ! Ils se donnent rendez-vous souvent, vous savez, du moins je le pense. D'ailleurs, j'en ai aujourd'hui la preuve ! Comme la petite comédie a été bien agencée ! Monsieur et Mademoiselle vont faire leur marche matinale sur la berge du lac ; Monsieur donne un croc-en-jambe à Mademoiselle, ah ! bien accidentellement ! Mademoiselle tombe à l'eau ; Monsieur la repêche, la transporte chez elle, semble tout ému, n'explique rien, mais c'est un héros ! Il n'est pas pressé. Il vient de temps en temps voir Mademoiselle pour s'enquérir de sa santé. Le temps fait son chemin. Voilà Mademoiselle éperdument amoureuse de monsieur ! Il lui demande sa main et le tour est joué, Monsieur entre en possession des millions. C'est bien simple, mais c'est comme l'œuf de Colomb : il fallait y penser !

– Ces choses ne pourraient arriver en jouant au golf, dit malicieusement Mme Duprix. Vous n'ignorez pas que M. Selcault a fait ses preuves, ce n'est pas son premier sauvetage !

– Il serait mieux d'embrasser le métier de scaphandrier, dit ironiquement Mme Wolfe.

– Un homme qui risque sa vie pour sauver celle d'un autre mérite plus d'éloges que vous ne voulez bien lui en décerner...

La conversation avait eu lieu à voix haute, de manière à être entendue en dehors de la pièce ; Mme Drassel fit cependant mine d'en ignorer le sujet quand elle vint les rejoindre au boudoir, d'où elle les fit passer dans le grand salon, pour répondre à un nouveau visiteur.

– M. Selcault, annonça le domestique.

– Que vous disais-je ? dit tout bas Mme Wolfe à Mme Duprix.

Mme Drassel introduisit André au boudoir, après s'être excusée auprès de ses visiteuses.

– Vous m'avez fait prier de venir vous voir, Mme Drassel ? interrogea André.

– Oui, ma fille a repris connaissance vers midi, et elle m'a demandé qui l'avait repêchée. Quand je le lui ai appris, elle a manifesté le désir de vous voir... Vous excuserez bien ma gaucherie de ce matin... J'étais si énervée que je n'ai pas pensé à vous remercier... M. Drassel vous récompensera à son retour.

– Vous êtes bien bonne, Madame Drassel, et je vous remercie ; mais je n'ai fait que mon devoir. D'ailleurs, j'ai envers votre mari une reconnaissance que rien ne saurait effacer. Je suis trop heureux d'avoir rendu une fille à sa mère et épargné une vive douleur à son père absent. Cette satisfaction me suffit.

– Suivez-moi, dit-elle.

Ils gravirent tous deux le grand escalier qui conduit au deuxième.

Assise sur son lit, la figure encore pâle, Agathe sourit à son sauveteur. André prit la main qu'elle lui tendit dans la sienne et instinctivement la porta à ses lèvres brûlantes.

– Que faites-vous là, André ? Pardon, Monsieur Selcault, reprit

Agathe en recouvrant un peu de ses belles couleurs naturelles.

– Mais vous avez bien dit André !

– Ça m'est échappé, quoique désormais je veuille vous considérer comme un frère. Je vous dois la vie et vous êtes maintenant de la famille.

– Je suis tout confus, Mademoiselle, je vous avoue que... je n'avais aucune intention... Puis s'adressant à Mme Drassel : Madame, j'avais espéré être plus qu'un frère pour Mlle Drassel...

– Et que voulez-vous dire ? interrompit-elle brusquement.

– Rien, Madame, répondit André tout troublé, je... vous demande pardon de mon imprudence.

– Dites plutôt votre impudence ! Mme Wolfe avait donc raison ! dit impérativement Mme Drassel.

– Mme Wolfe ? J'avoue ne la pas connaître !

– C'est bien ! reprit Mme Drassel ; retournez à l'usine. Quand M. Drassel sera de retour, il vous récompensera. Allez reconduire Monsieur, dit-elle au serviteur qui attendait à la porte.

– Maman, vous êtes cruelle ! hasarda Agathe.

– Ton père réglera ça à son retour ! répondit Mme Drassel. Quelle audace ! Un comptable, prétendre à la main de ma fille ! Pour profiter d'une telle circonstance, ça ne prend qu'un lâche !

Rouge de colère, elle alla rejoindre ses visiteuses qui l'attendaient au salon.

De son côté, André sortit en faisant claquer les portes, irrité de tant d'ingratitude.

– Qu'est-ce que je vous disais, dit Mme Wolfe se penchant à l'oreille de Mme Duprix.

– Nous verrons bien, continua-t-elle, qui gagnera la bataille ! Cet aventurier n'aura pas les millions des Drassel, fût-il nageur à sauver tout le monde et pût-il cacher sa honte sous un faux nom !

Mme Duprix détourna la conversation, mais Mme Wolfe trouva moyen de ramener la chose sur le tapis de temps en temps. Elle reçut cependant peu d'encouragement de la part des deux autres qui la connaissaient pour avoir l'imagination facile et la langue plus déliée que le nécessaire. Les visiteuses prirent enfin congé de Mme

Drassel, qui avait repris sa bonne humeur, et celle-ci retourna à la chambre d'Agathe qu'elle trouva en pleurs.

Après le départ d'André, Agathe, encore sous le coup de l'émotion, s'était fait apporter une carte-correspondance, sur laquelle elle écrivit précipitamment :

MONSIEUR ANDRE,

J'ai tout compris. Je partage tout, ayons donc confiance.

AGATHE

Elle confia le précieux message à la garde-malade, qui se chargea volontiers de le faire parvenir à André.

Troisième partie

I

Sur la nouvelle ferme des Lescault

Cinq années s'étaient écoulées depuis que Pierre Lescault avait quitté sa belle ferme de Verchères, pour aller planter sa tente dans la nouvelle paroisse de colonisation du Lac-Saint-Jean, sise sur les bords de la Tikuapé. Cinq années de travail ardu et méthodique avaient transformé la forêt vierge en belle terre à culture. À peine quelques souches, ici et là, donnaient encore à la ferme Lescault l'aspect d'une terre nouvellement défrichée. Que de sueurs, que de fatigue avait coûtées à son possesseur cette forêt, transformée en champ de blé ! Aussi, avec quel courage lui et ses fils s'étaient-ils mis à la tâche ! « Attelés » de l'aube au crépuscule, sans jamais se lasser, les Lescault avaient suivi les traces des premiers colons de ce pays, venus de l'Anjou, du Poitou, de la Normandie et de la Bretagne ; colons à l'écorce rude, mais au courage indomptable.

Le programme de Pierre Lescault s'était réalisé à la lettre. Son plan, tel que tracé pour la position des bâtiments, était maintenant un fait accompli. La belle rangée d'arbres bordant le chemin ornait un petit parc sans prétention, en face de la maison de ferme.

Cependant, malgré cette apparence extérieure de confort, la famille Lescault n'avait pas recouvré son bonheur d'autrefois. Transplantée dans un pays neuf, loin des parents et des amis, l'ennui ne l'avait pas quittée. Mme Lescault avait vu sa chevelure blanchir dans l'espace de quinze jours, après le procès retentissant qui avait conduit son fils au bagne, et elle portait sur sa figure la trace de la longue souffrance qui l'accablait encore.

– Si, au moins, il avait écrit après sa sortie du pénitencier, pensait-elle souvent au cours de ses longues nuits d'insomnie, qui la minaient tranquillement mais sûrement. Son père lui aurait déjà pardonné et il aurait été heureux de le bénir, s'il était venu se jeter à ses pieds. Peut-être, dans son for intérieur, n'attendait-il que ce mouvement de repentir de la part de son fils, pour dire comme le père de l'enfant prodigue : « Tuez le veau gras, car mon fils était perdu et je l'ai retrouvé ! »

Quatre jours de l'an s'étaient passés sans que cette marque de repentir se manifestât. Il était donc irrémédiablement perdu et leur douleur continuait toujours de s'associer à leur déshonneur.

Mme Lescault avait entendu dire que tous ceux qui entraient au pénitencier devenaient dans la suite des criminels endurcis. André n'avait donc pas échappé au sort réservé aux bagnards ! Elle voyait même, dans ses hallucinations, un échafaud se dresser pour ce fils qu'elle avait tant aimé et qu'elle aimait encore ! Cet enfant, qu'elle avait choyé comme les autres et peut-être plus que les autres, n'était pourtant pas méchant ! Il était du même sang que ses frères. Mais, comme avait dit son père, « il avait tourné le dos à la terre et il avait mal tourné ». Ainsi se passaient ses nuits d'insomnie, toujours à méditer sur le même sujet.

Durant la journée, quand on frappait à la porte, Mme Lescault y courait toujours, croyant l'ouvrir à son fils qui se jetterait dans ses bras ! Sa sentence n'était-elle pas purgée ? Le désappointement assombrissait toujours sa figure ! Quelquefois une larme coulait de ses yeux, qu'elle essuyait du rebord de son grand tablier blanc.

– Si tu écrivais au gouverneur du pénitencier, Pierre, avait enfin hasardé Mme Lescault, peut-être nous donnerait-il de ses nouvelles.

– Bah ! tu vois bien qu'il n'a pas de cœur, répondit-il. J'ai eu bien de la misère à supporter la honte, mais son ingratitude me blesse encore plus profondément. Moi qui me suis ruiné pour lui, il aurait toujours pu nous écrire !

– Tu avais bien recommandé au maître de poste de Verchères de nous réexpédier notre courrier ?

– Oui, mais il a peut-être perdu notre adresse !

– Si tu lui écrivais de nouveau ?

– Je l'ai déjà fait, répondit Pierre Lescault en baissant les yeux.

– Et puis ? reprit anxieusement Mme Lescault.

– Il m'a répondu qu'une seule lettre partant de Québec nous avait été adressée à Verchères ; mais comme il avait perdu notre nouvelle adresse, il l'avait retournée ; depuis ce temps, rien !

– De Québec ? Alors ça ne pouvait être de lui, dit Mme Lescault, d'un air de découragement.

Ils vécurent ainsi pendant des mois, attendant le retour de l'enfant prodigue, ignorant qu'un nouveau malheur les guettait.

De sinistres rumeurs circulaient au sujet de l'exhaussement des eaux du lac, depuis que les écluses du barrage étaient fermées. La Tikuapé, tributaire du grand lac, commençait à monter par le refoulement des eaux. Déjà le lac avait atteint le point 9, à l'échelle d'étiage de Roberval, et il montait, montait toujours. Le bruit se répandit bientôt que la paroisse de Sainte-Véronique allait être submergée. L'infiltration de l'eau avait noyé quelques caves et le niveau du lac montait continuellement. Des îlots se formaient ici et là et la moisson encore debout était menacée. Les chemins et les ponts disparaissaient sous la poussée de l'élément envahisseur qui menaçait de tout engloutir. Le curé avait prévenu ses ouailles d'être sur le qui-vive, pour sauver au moins leurs animaux, au cas où ils seraient obligés de quitter leurs fermes. Les terriens attachés à leur petit coin de terre, arrosée de leurs sueurs, pétrie de leurs mains, se cramponnaient à leur avoir avec cette conviction naïve que les hommes, quelque puissants qu'ils fussent, ne seraient pas assez méchants pour les chasser de leurs modestes foyers, acquis au prix de tant de sacrifices.

Ils avaient compté sans la cupidité de l'argent et le manque de sentiment humain des nouveaux maîtres de la région. Ni les délégations envoyées auprès des directeurs, ni les supplications des autorités municipales n'eurent l'heur d'une solution satisfaisante à leurs griefs. « Attendez ! vous serez dédommagés », leur répétait-on. C'était le seul espoir qui restait aux fermiers menacés, devenus des parias dans leur propre pays.

II

À attendre ainsi le malheur, on finit par le trouver. Rien d'humain ne semble pouvoir y remédier.

Un beau matin, on s'éveilla, à la ferme Lescault, au hennissement des chevaux dans l'écurie, pendant que de l'étable montaient des beuglements sinistres. La porcherie et le poulailler étaient inaccessibles. Les poules étaient restées juchées malgré la lumière du jour, et le coq avait chanté son dernier cocorico.

Pierre Lescault s'habilla en toute hâte et, comme il descendait l'escalier, il constata que le premier plancher était submergé. Vite, cria-t-il, habillez-vous ! nous sommes en danger.

À l'aide d'un radeau, construit de planches arrachées à la maison, on put atteindre les bâtiments, pour constater qu'une partie des animaux étaient déjà noyés et qu'il était impossible de sauver les autres.

Pierre Lescault et ses fils retournèrent à la maison, la mort dans l'âme. Quoi ! l'inévitable était donc arrivé ? On avait noyé ses animaux, payés de ses deniers. On avait fait un lac de sa terre, défrichée au prix de tant de sacrifices ! C'est pour cela qu'il se couchait tous les soirs harassé de fatigue ? C'est pour cela qu'il avait construit ces beaux bâtiments de ferme, pour se voir dépossédé comme un proscrit, un criminel ? « Attendez, vous serez indemnisés », était maintenant sa seule planche de salut ; mais comment se cramponner à une épave qui ne tient qu'à une espérance aléatoire ?

Devant la cuisante réalité, il fallait faire le suprême sacrifice : mourir à la terre aimée et quitter les lieux. Comment faire sans bateau, sans même un canot ? On se réfugia donc au deuxième étage en attendant du secours.

Vers la fin de la troisième journée, à la « brunante », on aperçut au loin la forme d'un bateau, qui s'avançait à pas de tortue vers les inondés. Les officiers faisaient des sondages pour ne pas échouer, ce qui retardait d'autant l'arrivée du secours.

Pierre Lescault, tige vivace transplantée des bords du Saint-Laurent au Lac-Saint-Jean, qui avait ajouté un nouveau fleuron à la belle couronne de fermes entourant cette mer intérieure, allait-il mourir à la terre ? Lui tournerait-il le dos, maintenant qu'elle s'obstinait à rester dérobée à ses yeux, couverte d'une immense nappe d'eau ? Mystère que lui seul pourrait éclaircir. Pierre Lescault, un déraciné, devenir un habitant des villes ! Quelle horreur ; mais c'était pourtant ce qui lui restait de mieux à faire, en attendant que la « Compagnie » l'indemnise.

Si un conifère, germé sur un rocher escarpé, y vit à l'état rabougri, on ne transplante pas avec succès un chêne poussé en bonne terre, sur un cap dénudé ; il y meurt, parce qu'il n'a pas ce sol profond où ses racines puisent en abondance. Quelle longue et triste agonie pour un campagnard que de toujours se retrouver sur la chaussée brûlante, rongé par l'ennui et le souvenir d'injustices dont il est la victime ! C'était pourtant le sort réservé à Pierre Lescault. Que se passa-t-il dans son esprit quand le canot vint les recueillir pour les transborder au bateau, qui les attendait au large ? Seule sa foi en Dieu lui donna le courage de mettre le pied sur la frêle embarcation qui était la seule planche de salut à laquelle il pouvait s'accrocher avec quelque espoir de survie.

Le lendemain, commença à défiler ce triste cortège de charrettes, chargées du peu de ménage que les rescapés apportaient avec eux. Tout était chargé pêle-mêle sur les voitures, où les femmes avaient pris place. Les hommes suivaient à pied, la tête basse, comme des bagnards qui s'en vont expier leurs crimes. Eux au moins reçoivent un juste châtiment ; mais quel crime avaient donc commis ces braves colons pour être ainsi pourchassés de leurs demeures ? En s'éloignant, ils regardaient de temps en temps en arrière pour dire un dernier adieu à cette région naguère fertile, transformée en lac, duquel n'émergeait que le pignon de leurs maisons désertes.

Le dieu Progrès avait fait son entrée d'une manière tragique dans la belle région du Lac-Saint-Jean, ne respectant ni la propriété privée ni l'attachement au sol. Place au progrès ! Mort aux récalcitrants ! semblait être le *motto* cruel de ceux qui ne respectent rien, si ce n'est l'or.

III

Pendant que Hugh Drassel était encore à New-York, attendant pour s'embarquer, les journaux lui apprirent l'accident arrivé à sa fille. Des histoires fantaisistes étaient ajoutées aux manchettes sensationnelles qui couvraient la première page des journaux.

À la lecture de ces nouvelles, l'industriel cancella ses réserves sur le transatlantique anglais qui devait le conduire à Edimbourg, et reprit le chemin de Chicoutimi. Il fallait éclaircir au plus tôt ce mystère, par une enquête serrée qu'il conduirait en personne.

Les nouvelles de l'inondation étaient aussi parvenues jusqu'à lui. Il ne put s'empêcher de s'apitoyer sur le sort de ces pauvres malheureux, s'attribuant une part des responsabilités, par sa mise de fonds dans la Compagnie du Barrage. On l'avait trompé, car les ingénieurs lui avaient assuré que l'inondation ne serait pas sérieuse. La fin par tous les moyens n'exige-t-elle pas de telles catastrophes ? Lawrence ne croyait-il pas nécessaire au bonheur de son roi, la dispersion des Acadiens, le vol de leurs terres et l'incendie de leurs bâtisses ?

M. Drassel avait toujours soutenu auprès des directeurs qu'il valait mieux faire les expropriations au préalable ; mais il avait cédé quand les ingénieurs lui avaient assuré que le point 17, fixé comme maximum de l'exhaussement des eaux du lac, protégeait les fermes de la région. Homme droit, Hugh Drassel éprouvait les sentiments que tout homme honnête éprouve en face de l'injustice.

Parti de New-York le soir, il s'arrêta à Montréal une journée pour y régler une affaire pressante et prit le train le même soir pour Chicoutimi. En vain le wagon-lit roula-t-il pesamment sur les rails d'acier, berçant doucement le grand industriel, le sommeil ne venait pas. Il s'assoupissait un instant, pour s'éveiller dans un cauchemar. Plus il approchait de Chicoutimi, plus il se sentait impressionné par l'aventure d'Agathe.

– Qui sait si on ne m'apprendra pas sa mort à mon arrivée ? se disait-il.

Il était tellement hanté par cette idée noire, qu'il craignait même d'arriver à destination.

– Filez à toute vitesse, commanda-t-il au chauffeur, en sautant dans sa limousine.

Le chauffeur mit le commandement sévère de son maître au compte de l'énervement et le conduisit prudemment à sa résidence. C'est d'une main fébrile qu'il toucha le bouton de la sonnette, craignant qu'on lui cache un plus grand malheur.

Le portier, encore à moitié endormi, vint ouvrir et M. Drassel franchit précipitamment. le seuil de la porte.

– On n'est pas pressé ici, dit-il nerveusement.

Il fila droit au grand escalier sans enlever ses habits et alla frapper à la porte de la chambre d'Agathe. L'infirmière vint lui ouvrir, mais il oublia de la saluer pour courir vers sa fille qui reposait encore. Il se pencha sur son lit et baisa tendrement ce front qu'il aurait bien pu ne plus revoir. Pour ne pas la déranger dans son sommeil, il retourna à reculons, sur la pointe des pieds, tout en s'informant de son état auprès de la garde-malade.

Mme Drassel, qui était matinale, avait eu connaissance de l'arrivée de son mari. Elle l'avait suivi à la chambre d'Agathe, restant à la porte, épiant ses mouvements.

– Tu as été d'une belle imprudence ! dit-il, en rencontrant son épouse.

– Tu es fatigué, Hugh, répondit Mme Drassel d'une voix douce. Nous reprendrons le sujet plus tard. Il y a toute une trame autour de cette affaire, que je t'expliquerai quand tu seras reposé. J'ai fait préparer ton déjeuner ; prends-tu ton café au lait ?

– Peu importe, pourvu qu'il soit chaud, et fort surtout !

– Mais tu n'es pas toi-même. Tu n'as rien à craindre, tout danger est passé !

– Heureusement que Selcault était là ! Mais comment se fait-il ?

– Je t'ai dit que je t'expliquerais tout plus tard et tu brûles les étapes !

– Quand on voit son nom, dans les journaux, accolé à des histoires à dormir debout, on a raison de vouloir savoir ! Il y a aussi l'inondation de la région de la Tikuapé qui me tracasse ! Ce n'est pas ce que les ingénieurs m'avaient assuré ! Je pense à ces autres pères de famille qui ont perdu de leurs enfants, dont la noyade d'Agathe aurait bien pu être la rançon. Ah ! s'ils ont éprouvé les mêmes sentiments d'horreur que moi-même à la lecture de l'accident, comme ils doivent maudire ceux qui en sont la cause !

– Calme-toi, peut-être l'inondation n'est-elle pas aussi sérieuse que les journaux l'ont rapportée ! Il vaut toujours mieux aller aux renseignements.

– Tu as peut-être raison. Pendant que je prendrai mon déjeuner, veuille donc faire avertir le chauffeur d'aller chercher Selcault. Je veux le remercier, d'abord, et, ensuite, m'enquérir de ce qui se passe aux usines, avant de prendre mon bain.

– Comme tu voudras, mais je t'assure que je ne tiens pas à ce que cet aventurier devienne trop familier à la maison.

– Aventurier, as-tu dit ? Mais quelle mouche te pique !

– Aventurier ! je le répète ! Ne vois-tu pas dans tout ceci une affaire montée ?

– Je n'y vois rien de tel.

– Ah ! tu es bien naïf, pour un homme de ton âge ! Tu ne vois pas ? Agathe sort inopportunément pour une promenade matinale. À cinq heures, tu admettras que c'est matin ! Elle tombe à l'eau ; comment ? Dieu le sait ! Chose encore plus mystérieuse, le héros est là, tout près, pour la repêcher. Il nous la rapporte triomphant sur ses épaules, avec un air de modestie de commande. Deux jours plus tard, il se faufile près d'Agathe et lui demande presque sa main en ma présence.

– Tu divagues, ma femme ! répondit M. Drassel, en sucrant son café. Sur quoi bases-tu cette histoire, qui ne tient pas debout ?

– Tu sais que Mme Wolfe voit clair ! C'est elle qui m'a mise sur mes gardes ! Je lui dois une fière chandelle, car sans elle je faisais comme tu aurais fait sans moi, et nous tombions tous deux dans le piège !

– Et les divagations de Mme Wolfe te suffisent pour croire à une affaire montée ? Elle a dû aussi te parler de son fils : fameux joueur de golf ! Et Agathe, que dit-elle de tout cela ?

– Tu comprends que je n'ai pas osé la questionner dans l'état d'énervement où elle est ; le médecin lui a interdit toute émotion. Elle a demandé à voir Selcault, sous prétexte de le remercier ; l'entretien n'a duré que quelques minutes ; mais j'ai tout compris :

ils sont amoureux l'un de l'autre. Si tu avais vu avec quelle ardeur il a baisé sa main quand elle la lui tendit, tu n'aurais pas besoin d'autre témoignage.

– Et quand cela serait comme tu le dis, où est le mal ? Ils sont jeunes tous les deux, libres tous les deux ! D'ailleurs, quand Agathe sera rétablie, je ferai une petite enquête, et s'il y a quelque chose de louche je le découvrirai bien.

– M. Selcault ne te dira toujours pas son passé, et si tu savais ce que Mme Wolfe m'a appris ?

– Alors, tu me fais des cachettes, au sujet d'André ?

– André ! De là à dire mon gendre, il n'y a qu'un pas.

– Selcault, si tu préfères.

– C'est mieux !

– Eh bien ! Permets que je te dise en toute franchise que le passé de Selcault m'est mieux connu qu'à toi.

– Et tu le laisserais fréquenter ta fille !

– Je n'ai pas l'habitude de m'emballer, comme tu sais. Tu me prêtes peut-être des idées que je n'ai pas ; mais je ne suis pas encore prêt à me donner tort. Quant au passé d'André, pardon, de Selcault, il ne nous appartient pas.

– Mme Wolfe en aura long à te dire à ton enquête.

– Mme Wolfe a un fils, n'est-ce pas ?

– Oui, et un charmant garçon !

– Comme tous les fils à maman. Et comme je te disais tout à l'heure, joueur de golf émérite ! Quel titre !

– Tu deviens ironique !

– Peut-être malgré moi ; mais tu m'y invites. Entre nous, je ne suis pas un admirateur des fils à papa... et encore moins des fils à maman. Si Dieu m'avait donné un fils, j'aurais essayé d'en faire un homme d'affaires et non un joueur de golf, fût-il é-m-é-r-i-t-e ! D'ailleurs, sois sûre que je n'interrogerai pas Mme Wolfe.

– Je te croyais plus large ! N'encourages-tu pas le sport ? N'es-tu pas toi-même un golfman de premier plan ?

– T'ai-je dit le contraire ? Mais je vois d'autres titres pour un jeune homme que celui de joueur de golf é-m-é-r-i-t-e ! Ne prolongeons pas, cependant, cette discussion inutile, la première que nous ayons au sujet d'Agathe. Ce qui compte, pour le moment, c'est qu'elle soit vivante. D'ailleurs, elle aura son mot à dire quand il s'agira de son mariage.

– À son âge, on a quelquefois besoin de conseils !

– Une jeune fille qui se marie, de nos jours, prend rarement conseil de ses parents. Elle fait son choix et... ensuite... nous n'avons qu'à le ratifier. Quel âge avais-tu quand je t'ai demandée en mariage ? dit M. Drassel, en souriant.

– J'étais encore *sweet sixteen,* répondit-elle en riant à son tour ; mais, dans notre temps, les jeunes filles étaient plus...

– Prêtes !

– Oui, plus préparées au mariage.

– C'est bien l'éternel refrain de toutes les générations : « Dans notre temps, ce n'était pas comme ça ! »

Le roulement du moteur que l'on entendit à la porte leur rappela que M. Drassel avait fait mander André.

– Je me sens déjà mieux, dit-il à sa femme, en prenant congé d'elle. Ah ! la bonne cuisine de chez nous ! continua-t-il ; tiens, si tu cessais de mettre la main à la pâte, je regretterais presque d'être riche.

Comme toutes les femmes, Mme Drassel ne refusait jamais un compliment, encore moins quand il s'agissait de l'art culinaire. Dans son enthousiasme, elle commença à desservir la table et ne s'aperçut de sa distraction qu'à l'arrivée de la servante.

– Je raconterai ça à Hugh, dit-elle en elle-même.

IV

André fut introduit dans le cabinet de travail de son patron. Il était à examiner les plans de différentes machines, suspendus au mur, quand M. Drassel entra.

- Bonjour Selcault, dit M. Drassel ; en serrant la main d'André, mais avec une froideur marquée.

-- Vous êtes de retour plus tôt que je ne m'y attendais, répondit André, et pardonnez-moi si je vous ai fait attendre un peu. Je n'étais pas rentré de ma promenade matinale autour des usines et du barrage et j'arrivais justement au bureau, quand...

- Faites-vous souvent de ces promenades matinales ? interrompit M. Drassel, en regardant André dans les yeux.

- Tous les jours, excepté le dimanche !

- Et quel intérêt avez-vous à faire cela ?

- D'abord, pour ma santé, et, ensuite, pour m'assurer si tout est en ordre. C'est au cours d'une de ces sorties, si vous vous rappelez bien, que j'ai découvert le défaut de la chaîne sans fin, quand je suis entré à votre service.

- Et c'est au cours d'une de ces promenades matinales que vous avez repêché Mlle Drassel ?

- Un heureux hasard a voulu que je fusse à quelque cent pas d'elle. J'entendis son cri de détresse. Ah ! quel cri, Monsieur Drassel ! J'en entends encore l'écho déchirant ! J'ai souvent, depuis, songé à votre douleur, si, au lieu d'une fille alitée, vous vous fussiez trouvé en face d'un cadavre à votre retour.

M. Drassel se leva d'un bond et se précipita vers André en l'embrassant.

- Pardonnez-moi, André, si je vous ai accueilli froidement en entrant, mais les mauvaises langues !... Vous connaissez ça, vous, les mauvaises langues !

Pour toute réponse, André baissa la tête, mais, reprenant son aplomb, il continua :

- D'ailleurs, vous pourrez interroger Mlle Drassel. Son témoignage aura, peut-être, plus de poids que le mien, mais je vous dis la vérité.

– Votre témoignage suffit, André, et je vous remercie de m'avoir rendu mon enfant. C'est une étourderie qui a failli lui coûter cher..., nous coûter cher. Je ne sais trop comment vous récompenser, continua M. Drassel, coupant ses phrases, tout en écrivant. Voici un chèque signé... J'ai laissé le montant en blanc. Pour ne pas vous laisser dans l'embarras, je puis vous dire que j'ai deux millions à la banque d'épargne. Mettez le montant qu'il vous plaira.

André prit le chèque dans sa main, le contempla longuement pendant que M. Drassel s'occupait à autre chose. Croyant deviner de la gêne chez André, il reprit :

– Vous pourrez le remplir à votre pupitre, mais, comme je vous l'ai dit, le montant importe peu, pourvu qu'il soit couvert par mon dépôt.

– Monsieur Drassel, répondit André en lui remettant le chèque, si je ne connaissais l'étendue de l'amour que vous avez voué à votre fille unique, je considérerais cette offre de récompense comme une injure. La satisfaction du devoir accompli me suffit et je serais embarrassé d'une fortune que je n'aurais pas édifiée moi-même. La richesse n'a de valeur pour moi qu'en autant qu'elle est le fruit du travail.

– J'admire vos idées, qui sont les miennes, mais alors que puis-je faire pour vous ?

– Monsieur Drassel, l'éponge que vous avez mise sur mon passé m'est une récompense suffisante. Ah ! si vous saviez ce que j'ai souffert !

– Alors je vous fais une proposition d'affaires, dit M. Drassel coupant toujours ses phrases. Je n'ai pas édifié ma fortune sans surmenage, comme vous vous l'imaginez sans doute. Je me sens un peu fatigué. J'ai besoin d'un gérant pour me seconder. À quarante ,ans, je n'ai pas encore goûté aux douceurs du foyer et j'ai besoin de repos. Je crois avoir découvert en vous l'homme capable de me soulager ; j'y songeais depuis quelque temps. Quel salaire me demandez-vous ?

– Vous savez mieux que moi quel salaire commanderait cette position.

– Je vous offre vingt-cinq mille dollars par année.

– Je l'accepte avec reconnaissance. Je pourrai rembourser mon père cette année même !

– Vous devez quelque chose à votre père ?

– Les frais du procès qui se montent à quinze mille dollars.

– Je vous les donne en plus !

– Je regrette de ne pouvoir accepter, Monsieur Drassel. J'ai promis de le rembourser du prix de mon travail. Si cependant vous voulez bien m'avancer la somme, je vous en serai très reconnaissant. Cela me permettra de m'acquitter immédiatement.

– Volontiers, répondit M. Drassel, heureux de pouvoir rendre quelque service à André. Puis, enthousiasmé, il continua : Dites-moi, André, vous aimez Agathe ?

– Je ne vous ai jamais menti, Monsieur Drassel, et je mentirais si je disais le contraire. Je m'étais déjà épris d'elle, je ne sais trop comment. Elle venait souvent au bureau, nous causions. Je dissimulais, elle aussi peut-être ; mais deux cœurs qui s'aiment finissent toujours par se deviner. Notre dernière aventure m'a rendu encore plus amoureux ! Je me suis senti attaché à elle... par des liens inextricables. J'ai même inconsciemment « montré mes cartes » quand elle m'a fait demander, ce qui m'a attiré des désagréments de la part de Mme Drassel.

– Vous pourrez rendre visite à Agathe quand il vous plaira. Je crois même qu'elle a exprimé le désir de vous revoir.

– Que dira Mme Drassel ?

– J'arrangerai cela. Elle s'est laissé monter la tête. Il y a de ces petites misères dans la vie. Pour revenir aux affaires, la semaine prochaine, vous irez finir les transactions que j'avais commencées à New-York, mais que j'ai dû négliger, à cause de mon retour précipité. Je reprendrai mon voyage en Europe plus tard.

André accepta avec un peu de crainte ce témoignage de confiance de la part de son patron, mais résolut d'être à la hauteur de la mission qui lui était confiée.

Il prit le train le lendemain soir, après avoir rendu visite à Agathe. Il fut tout charmé de l'amabilité de Mme Drassel, qui lui fit presque des excuses pour son mouvement de nerfs, quelques jours auparavant.

V

Les inondés qui avaient dû quitter leurs fermes commençaient à affluer à Chicoutimi, ville industrielle du district. Nombreux étaient les gens en quête d'ouvrage, ne sachant trop comment gagner leur pain quotidien.

Deux solides gaillards se présentèrent un matin à l'usine de M. Drassel pour demander de l'ouvrage, et s'adressèrent au contremaître.

– Le gérant est absent, répondit brusquement celui-ci aux deux jeunes gens.

M. Drassel, ayant entendu la conversation à demi, s'informa de ce qui se passait.

– Ce sont deux jeunes garçons qui demandent de l'ouvrage, dit le chef de bureau. Le contremaître leur a dit que le gérant était absent, pour s'en débarrasser, vu qu'il n'avait pas de place pour eux. Ils ont dit avoir été inondés et obligés de quitter leur terre avec leurs parents.

– Faites-les entrer, pour que je les interroge, dit M. Drassel.

Le chef de bureau conduisit les deux jeunes garçons auprès du patron. Ils étaient endimanchés, mais leur air gauche amusa un peu les employés, quand ils passèrent près d'eux pour se rendre au bureau de M. Drassel.

– Mettez-vous à l'aise, dit bonnement celui-ci en les accueillant ; vous pouvez suspendre vos chapeaux.

Comme ils hésitaient un peu, M. Drassel se leva, alla à eux, prit leurs coiffures et les suspendit au porte-chapeaux. Surpris de tant de cordialité, les deux jeunes hommes se regardaient, en attendant de voir ce qui arriverait. L'industriel ouvrit immédiatement la conversation.

– Vous avez été inondés par l'exhaussement des eaux du lac ? demanda aussitôt M. Drassel

– Pas exactement nous, mais notre terre, répondit le plus âgé, très gêné.

– C'est ce que j'ai voulu dire, répondit M. Drassel un peu amusé.

– C'est la terre de notre père, la terre paternelle, comme on dit, qui a été inondée. Nos lots à nous, que nous devions défricher plus tard, et qui sont aussi inondés, sont encore « en bois debout ».

– Et vous aviez l'intention de vous établir près de votre père ?

– Oui, ç'a toujours été son désir et le nôtre aussi..., mais, à présent !

– Dans quelle région étiez-vous ?

– Nous étions dans la nouvelle paroisse de Sainte-Véronique, sur la Tikuapé.

– Et votre terre a été complètement inondée ?

– Les trois quarts, y compris les bâtiments et la maison.

Le jeune homme raconta en détail leur départ de Verchères, la prise de possession de leur nouvelle terre, le dur labeur qu'ils eurent à essuyer, la belle apparence subséquente de leur propriété, puis, la terrible catastrophe ; enfin, leur sauvetage précipité et la nécessité pour eux de demander de l'ouvrage.

M. Drassel suivait avec le plus grand intérêt le récit du jeune homme, qui, s'étant dégêné devant son affabilité, parlait maintenant avec assurance ; accentuant les parties les plus tragiques de son récit, il impressionna fort l'industriel. Celui-ci pressa un bouton et le chef de bureau apparut immédiatement dans la porte.

– Dites au contremaître de prendre ces deux jeunes hommes à l'usine.

– Mais le personnel est au complet, répondit le chef. Le contremaître ne saurait où les placer. Si nous prenons ceux-ci, d'autres solliciteront la même faveur et il ne pourra les satisfaire. Il y a déjà deux cents familles d'inondés à Chicoutimi.

– Vous ai-je demandé conseil ? répondit sèchement M. Drassel. Qu'il prenne ces deux-ci ! nous verrons pour les autres.

Les jeunes Lescault sortirent du bureau de M. Drassel, heureux de s'être si facilement casés et moins convaincus de la méchanceté des riches. Après tout, ils auraient de l'ouvrage, ce qui leur permettrait de subvenir aux besoins de la famille. Leur père étant vieux et fatigué, ils lui épargneraient au moins l'humiliation de travailler à gages, lui qui avait toujours eu la servitude en horreur. Il avait tant et si souvent vanté la belle indépendance du cultivateur et la supériorité de celui-ci sur le journalier, comparant les ouvriers des usines modernes aux mercenaires d'autrefois ! Ne s'était-il même pas imputé la responsabilité du crime d'André à cause de l'instruction qu'il lui avait fait donner et qui avait amené son détachement de la terre ?

Paul et Joseph retournèrent gaiement à la maison, pressés d'annoncer la bonne nouvelle à leur père.

- Deux esclaves de plus aux mains des magnats de la pulpe, fut la décevante appréciation de Pierre Lescault au succès de ses deux fils ; mais quand ceux-ci lui eurent raconté leur entrevue avec M. Drassel, il se radoucit un peu.

- Y a p'têtre encore des riches qui ont du cœur, dit-il. En tout cas, ça nous empêchera de mourir de faim ! Faute d'un gros pain on se contente d'un petit ! J'avais pourtant dit que mes fils ne seraient jamais des esclaves d'usines !

- Nous demandons à Dieu notre pain quotidien, dit Mme Lescault, intervenant dans la conversation ; il nous le donne. Remercions-le plutôt que de maugréer sur la manière dont il nous le sert ! Nous nous habituerons à la ville ; d'autres s'y sont faits, et qui te dit que beaucoup d'inondés auront la même chance que nous ? Car, pour une chance, c'en est une d'après l'histoire que nous a racontée Paul.

- Tu as peut-être raison, répondit son mari ; mais, vois-tu, j'ai toujours eu en horreur le travail à la journée. Quant à moi, j'irai défricher une terre plus au nord, là où il n'y a pas d'inondation à craindre.

Le lien qui attachait Pierre Lescault à la terre le faisait présumer de ses forces, car il était encore prêt, à son âge, à s'attaquer de nouveau à la forêt vierge.

VI

Les deux jeunes Lescault étaient à l'ouvrage depuis à peine deux semaines, que déjà des bruits de grève à propos du travail du dimanche commençaient à circuler.

- Voilà bien l'instabilité du mercenaire des villes, dit le père Lescault en entendant parler de ces rumeurs. Aujourd'hui, votre travail vous procure du pain que le chômage du lendemain dévore, et vous voilà aux portes de la faim. Ah ! si je n'étais pas usé par le travail - c'est vous qui le dites, mais je n'en conviens pas, - c'est encore vers la terre que je me pencherais pour lui demander ma subsistance ; mais à mon âge se lance-t-on à l'assaut de la forêt ? Ah ! si la force voulait seconder mon courage ! ajouta-t-il.

- Nous avons encore de bons bras, nous, reprit Joseph, vous pourrez toujours compter sur nous.

- Oui, pour se faire bouter dehors par les Américains, qui noient notre territoire pour mieux s'en emparer (contredisant ce qu'il disait un instant auparavant). Après tout, j'en ai assez, continua-t-il. J'avais fondé de si belles espérances sur notre nouvelle terre. Nous avions transplanté des bords du Saint-Laurent une tige forte et féconde dans notre petite patrie nouvelle ; nous touchions déjà à la prospérité. J'avais payé la dette du procès avec le produit de la vente du bien ancestral et l'avenir me paraissait moins sombre, quand soudain nous avons dû fuir ces lieux qui nous étaient chers. Je comprends maintenant davantage l'amour de nos aïeux pour ce sol vierge qu'ils avaient arrosé et pour ainsi dire sanctifié de leurs sueurs. C'est cet amour du sol qui m'a été transmis de génération en génération. C'est là que ce sang qui coule dans nos veines avait puisé sa force. Ah ! la vieille terre de Verchères, la terre de mes ancêtres, la reverrai-je jamais ?

- Tu ne songes pas à retourner à Verchères ? avait timidement interrompu Mme Lescault, mais avec un éclair de joie significative dans ses yeux.

- Tu t'es toujours ennuyée, toi, au Lac-Saint-Jean, reprit l'époux qui avait tout saisi dans l'expression de bonheur reflétée dans les yeux de sa femme.

- Et toi ?

– Pour dire franchement, oui ! On ne se détache pas si vite d'un si beau bien, quand on y est né et que dix générations y ont vécu. Je te l'avoue franchement, quand le marteau de l'encanteur a adjugé le dernier morceau, j'ai cru défaillir. J'étais si anxieux de quitter l'endroit qui avait été témoin de notre honte, que j'ai ramassé ce qui me restait de courage et de force pour les mettre au service de notre nouveau bien, que j'aimais presque autant que le premier, car, vois-tu, en défrichant cette terre, je devenais ancêtre à mon tour ; mais l'inondation s'est produite...

– Je ne puis croire que nous ayons été ainsi dépossédés, sans que nous ayons recours contre la « Compagnie », dit Mme Lescault, tout en tricotant un bas de laine pour son mari.

– Encore un procès ! Va donc plaider avec une Compagnie de multi-millionnaires, un pauvre habitant ruiné !

– À ce moment, le facteur frappa à la porte et ç'est Mme Lescault qui ouvrit.

– Une lettre recommandée pour Pierre Lescault, dit-il.

– Une lettre recommandée... pour moi ! Serait-ce le dédommagement de ma terre ? D'où vient cette lettre, facteur ?

– Voyons ! Ver... Ver... Ver... Verchères ! Ça vient du notaire Geoffrion.

Après avoir signé le livre du facteur, Pierre Lescault ouvrit la lettre et la présenta à sa femme pour en faire la lecture.

– Lis donc, dit-il, l'écriture de notaire, ça n'est pas dans ma branche. J'lis bien l'écriture moulée et l'écriture des gens comme nous autres, mais l'écriture de notaire ! Lis tout haut, ajouta-t-il.

Verchères. le douze février

Pierre Lescault,

Chicoutimi-Ouest, P. Q.

MONSIEUR,

Je suis chargé, en ma qualité de notaire public pour la province de Québec, de vous faire savoir que le dix courant, à deux heures de l'après-midi, un citoyen qui a refusé de déclarer ses nom, prénom et résidence, s'est présenté chez le soussigné, accompagné de Prime Falardeau, propriétaire en droit et en fait de la ferme connue autrefois sous le nom de « Ferme Lescault », et qu'un contrat en bonne et due forme a été passé entre le vendeur, ledit Prime Falardeau, et l'acheteur, Pierre Lescault, absent, mais reconnu par le vendeur comme acheteur *bona fide.*

Ledit Prime Falardeau cède audit Pierre Lescault, moyennant la somme de quinze mille dollars, la ferme dont l'acheteur était ci-devant propriétaire.

L'étranger a payé en espèces sonnantes et ladite somme est entre les mains du soussigné jusqu'à signature du contrat par l'acheteur. Un montant supplémentaire de trois mille dollars m'a aussi été confié pour l'achat d'un « roulant ».

Si vous désirez rentrer en possession de ladite ferme, vous voudrez bien vous présenter chez le soussigné d'ici à trente jours.

En foi de quoi nous avons signé :

Paul GEOFFRION

Notaire

Tous les gens de la maison se regardèrent sans proférer une parole.

– Si nous écrivions au notaire pour lui demander le signalement de cet individu ? hasarda enfin Mme Lescault.

– C'est une fumisterie, répondit son mari. Des dix-huit mille piastres, ça ne tombe pas ainsi du ciel. On a connu notre malheur, là-bas, et on veut nous humilier encore !

– Mais je connais l'écriture du notaire, et c'est un homme sérieux, continua Mme Lescault, en regardant attentivement la lettre.

– C'est bien vrai, le notaire Geoffrion ne se permettrait pas une farce semblable. Et qu'allons-nous faire ? dit-il d'un air plus embêté que réjoui.

– Retourner à Verchères ! répondit Mme Lescault. Nous sommes ruinés, la Providence vient à notre secours ; acceptons avec reconnaissance, et remercions-la.

– Je n'accepterai pas ce don sans en connaître la provenance, dit fièrement Pierre Lescault.

– Tu n'es pas en position de faire le fier, répondit Mme Lescault. Ah ! je sais ce qui te chicote, tu as peur que ce soit André qui te restitue la terre !

– Tu as bien deviné ; avec de l'argent volé ; c'est ce à quoi je m'objecte.

– Tu as tort ! Un voleur ne restitue pas, fût-ce à son père. S'il le fait, il se reconnaît comme tel. Accepte la terre et l'argent. Tu ne l'as pas volé, toi ! C'est peut-être la « Compagnie » qui s'y prend ainsi pour te payer ton bien qu'ils t'ont ravi.

– C'est peut-être ça, répondit-il gravement. Alors nous partirons ; mais...

– Où veux-tu en venir avec ton mais ?

– L'affaire d'André doit être encore bien vivace dans la mémoire des gens de Verchères !

– Qu'importe, nos malheurs auront effacé la honte et lavé la souillure.

– Nous verrons, répondit amèrement le vieux déraciné.

Avec un tempérament comme le sien, il lui fallait réfléchir avant de donner sa réponse finale.

VII

Depuis son départ pour New-York, André avait souvent donné des nouvelles à son patron. Au moyen de lettres-télégrammes, il le tenait au courant des situations nouvelles qui se présentaient, donnant son opinion sur tel ou tel sujet, sans cependant demander de conseils.

M. Drassel scrutait toujours attentivement le courrier de New-York. Un petit colis, qui avait sans doute échappé à la vigilance des douaniers, fut trouvé un matin dans la case postale de l'usine.

– New-York ! Agathe Drassel ! lit tout haut M. Drassel, en examinant le colis que venait de lui remettre le messager.

– Téléphonez au chauffeur de venir un peu plus de bonne heure que d'habitude, dit-il au chef de bureau qui vint chercher la correspondance de routine.

Il regarda de nouveau le colis et sourit. C'était, à sa connaissance, le premier qu'Agathe recevait et il décida de le lui apporter lui-même à la maison. Il quitta le bureau de bonne heure et fila droit à la chambre de sa fille malade.

– As-tu fait une commande à New-York ? dit-il d'un air un peu moqueur.

– Non ! répondit-elle, étonnée et intriguée en même temps de l'air moqueur de son père. Pourquoi me demandes-tu ça ? Tu as l'air tout drôle !

Pour toute réponse, M. Drassel sortit le minuscule colis de sa poche.

– Tu fais le messager, maintenant ? dit Agathe, en prenant le colis dans ses mains. Mais c'est l'écriture de M. Selcault ! continua-t-elle joyeuse.

– Ah ! tu connais son écriture ?

– Oui, je l'ai remarquée dans ses livres ! C'est bien, en effet, son écriture régulière ! Regarde ces lettres bien formées. Tu permets que je l'ouvre, papa ?

– Mais oui, puisqu'il est à ton adresse. Si je coupais le fil pour toi, Agathe ?

– Voilà que tu rajeunis, papa ! Couper la ficelle ? Ha ! ha ! Eh bien, vas-y !

– Ah ! quel joli camée, s'exclama Agathe en examinant le contenu du colis. Regarde, papa, comme il est beau !

– Il a du goût, Selcault, répondit M. Drassel en ajustant son lorgnon pour examiner la pierre de plus près.

– Tu ne t'en doutais pas ? Puisqu'il m'aime ?

– Ah ! Et quand te l'a-t-il dit ?

– Ça se voit ! Il n'a pas besoin de me le dire. Si tu avais vu comme il avait l'air heureux de m'avoir repêchée !

– Ce n'est pas un indice bien sûr ! On est toujours heureux d'un acte d'héroïsme !

– Moi, je l'adore, papa ! Un homme comme toi, qui travaille. Un homme d'affaires qui réussira, je te l'assure !

– Alors, ce n'est pas parce qu'il t'a sauvé la vie ?

– Non, je l'aimais déjà ; mais le fait de m'avoir sauvé la vie n'est pas de nature à diminuer mon admiration pour lui. Toi aussi, tu dois l'aimer pour avoir si bien réparé l'imprudence de ta petite Agathe.

M. Drassel réprima un mouvement d'horreur à cette seule pensée qu'il aurait pu retrouver un cadavre au lieu de revoir bien vivante sa fille chérie.

– Je lui dois beaucoup de reconnaissance, en effet, répondit-il très ému.

– Quand André revient-il de New-York, papa ?

– Le quinze !

Agathe tourna la vue, d'un air désappointé, vers le petit calendrier nacré, placé sur sa toilette.

– Encore une semaine !

– Il partira de New-York avant cette date, mais il doit s'arrêter à Montréal pour des affaires personnelles, s'il n'a pas arrêté en allant.

– Peut-on savoir pourquoi ?

– Non, puisqu'il m'a confié un secret.

– Il vous fait des confidences ? Vous a-t-il dit qu'il m'aimait ?

– Je ne dévoile jamais un secret ! Il m'a demandé la permission de te rendre visite et je le lui ai permis, une fois par semaine, dit M. Drassel en montrant son index. Es-tu contente ?

– Rien qu'une fois ? répondit Agathe désappointée. Un, ça peut se multiplier par trois ? Tu ne sais peut-être pas la table de trois, papa ? Ça se fait comme ceci : Trois fois un, trois ! Trois fois deux...

– Je ne sais plus compter, interrompit M. Drassel. Je réapprendrai plus tard.

– Mais je le voyais tous les jours à l'usine !

– Tu abusais, alors ! Et les papas sont là pour réprimer les abus.

– Il y a des papas qui s'effacent parfois, qui ferment les yeux pour ne pas voir.

– Il y a un proverbe anglais qui dit : *Too much of a good thing, is good for nothing.* Fie-toi à ton papa. Plus tard, il apprendra ses tables de multiplication et il les appliquera en temps opportun.

– Embrasse-moi, papa, dit Agathe en étendant ses bras vers son père qui ne se fit pas prier, heureux de n'avoir pas cédé devant l'insistance de sa fille sans lui faire de la peine.

M. Drassel descendit en chantant les premières marches de l'escalier, s'arrêta un instant sur le palier, fit mine de retourner en arrière, puis se remit à fredonner un air nouveau jusqu'à la salle à manger.

– D'où viens-tu ? dit Mme Drassel, que je n'ai pas eu connaissance de ton arrivée.

– J'étais près d'Agathe, je suis arrivé un peu plus de bonne heure..., je ne t'ai pas vue, alors je suis monté à sa chambre. Sais-tu qu'elle va admirablement bien ? s'empressa de dire M. Drassel pour faire bifurquer la conversation.

VIII

Ayant accompli sa mission, André retourna à Chicoutimi par le premier train, tout heureux de son succès. Ses vues avaient été acceptées au sujet de certains projets, quoiqu'il se fût heurté à une obstination bornée quand il avait proposé aux actionnaires de faire cesser le travail du dimanche dans la région industrielle du Lac-Saint-Jean. Malgré cet échec sur une question de principe, le résultat pratique de son voyage était assuré. Il avait remporté le morceau sur plusieurs projets chers à son patron, ce qui n'était pas de nature à lui nuire auprès de lui. Ses relations avec Agathe n'en devraient pas souffrir non plus. M. Drassel lui avait permis de rendre visite à Agathe. Peut-être obtiendrait-il de la fréquenter régulièrement, plus tard, sans toutefois espérer un jour d'en faire sa femme. Mme Drassel poserait certainement des objections. Tous ses efforts devraient dorénavant converger vers sa réhabilitation. La Providence viendrait-elle enfin à son secours, lui qui implorait si sincèrement sa protection ? Peut-être aurait-il dû accepter la récompense que lui avait offerte son patron. Il avait enfin accompli le devoir qu'il s'était imposé envers son père. Le notaire tâcherait de les retrouver, et les sommes qu'il avait dépensées pour son procès lui seraient remises avec intérêt. Toutes ces pensées passèrent et repassèrent dans sa tête, après qu'il se fut retiré dans son compartiment de wagon-lit et ce n'est que tard dans la nuit que le sommeil s'empara de lui.

Le surlendemain matin, il descendait du train, à Chicoutimi, et avertissait immédiatement son patron par téléphone, de son arrivée.

Il s'informa timidement de la santé d'Agathe et la réponse sympathique de son patron le rassura. Il y voyait un indice d'amélioration des sentiments de M. Drassel en sa faveur.

IX

André était déjà depuis longtemps rendu au bureau, quand M. Drassel arriva. Après lui avoir donné les grandes lignes du résultat de son voyage, dont les détails étaient contenus dans le rapport qu'il lui remit, il se mit immédiatement à l'ouvrage. C'était jour de paye, et il était le seul autorisé à signer les chèques au nom de son patron.

Arrivé à la lettre I..., il s'arrêta un instant, stupéfait. Avait-il bien lu ? Paul Lescault ! Mais oui, et Joseph !

– Suis-je victime d'une hallucination ? se dit-il. Puis lisant de nouveau : Paul Lescault ! Joseph Lescault ! Quels sont ces deux noms additionnels ? demanda-t-il au chef de la comptabilité.

– Vous voyez comme moi ; ce sont Paul et Joseph Lescault. Si vous voulez en savoir plus long, demandez au patron. C'est lui qui les a engagés, ils sont venus ici et il leur a fait raconter leur histoire. Vous savez comme le patron a le cœur tendre. Il s'est apitoyé sur leur sort et a dit au contremaître de les employer à n'importe quoi. Tout ce que je puis vous dire d'eux, c'est que ce sont des inondés.

André sentit tout son sang se retirer des veines. Se pouvait-il que ce fussent ses frères ? Alors, son père et sa mère étaient dans la région, ils étaient même à Chicoutimi, sans doute ! Sa première idée fut d'aller se jeter immédiatement dans leurs bras, mais il se ressaisit. Oh ! non, il ne braverait pas le regard de son père avant qu'il soit en possession de son ancienne terre ; alors oui, alors seulement, il irait les voir. Il avait donné ses instructions au notaire et, dans quinze jours, il aurait toutes les informations nécessaires. Il allait s'enquérir immédiatement de leur adresse et la dépêcher au notaire. Par contre il les verrait peut-être à la messe du dimanche.

Vivant à Chicoutimi, sous un faux nom, la position importante qu'il occupait à l'usine, une moustache en progrès, tout contribuait à lui conserver son incognito. Il résolut quand même, pour en avoir le cœur net, d'aller faire une tournée d'exploration à l'expédition où ses deux frères avaient été placés, pour s'assurer de leur identité.

André passa, grave, près de ses deux frères qu'il reconnut à l'instant. Aucune trace d'émotion ne le trahit, quoique son cœur battit à se rompre, lorsqu'il se vit si près d'eux.

Sous prétexte que l'on avait demandé au bureau l'adresse des deux Lescault, André pria le contremaître de la lui procurer et de tâcher de savoir discrètement avec qui ils vivaient, soit en pension, soit chez leurs parents.

Informations prises, André apprit que ses deux frères demeuraient au « Bassin ». Alors, se dit-il, j'irai à la messe à Chicoutimi-Ouest, dimanche prochain, et je suis sûr d'y voir ma mère.

Les jours qui précédèrent le dimanche lui parurent bien longs. À peine le soleil s'était-il levé sur le jour du Seigneur, qu'il faisait sa toilette et partait pour l'église, avec l'intention bien arrêtée d'assister à toutes les messes jusqu'à ce qu'il ait vu sa mère. La messe des ouvriers avait lieu à cinq heures parce qu'ils étaient obligés de se rendre au travail aux mêmes heures que la semaine. Il entendit toutes les messes basses sans apercevoir l'ombre de ses parents.

Il ne restait plus que la grand'messe à entendre et il en aurait la conscience nette. Il s'assit dans le dernier banc, à gauche de l'église, tout en méditant sur sa visite à la basilique de Québec. C'est là qu'il avait rencontré ce bon M. Coulombe, qui lui avait si charitablement offert un gîte pour la nuit, où il avait fait la connaissance de cette si bonne femme qui lui rappelait tant les traits de sa mère.

La messe était à la veille de commencer. L'orgue, tantôt ronflant, tantôt lançant ses notes aiguës vers le ciel, faisait vibrer la voûte de la vaste nef. Une femme aux cheveux blancs, accompagnée de son mari, portant une moustache poivre et sel, taillée en broussaille, entra dans l'église. Ils hésitèrent un peu, cherchant à s'orienter. Sans doute un peu distraite par le ronflement de l'orgue, la femme tourna la tête du côté du jubé. André la vit assez bien pour la reconnaître, mais fut secoué dans tout son être. Au lieu de la figure calme et sereine de sa mère, il se trouvait en face d'un masque de douleurs. Pauvre mère ! C'était pour lui qu'elle avait tant souffert ! Peut-être pensait-elle à lui en ce moment suprême. Elle le cherchait peut-être de ses yeux dans cette foule mouvante. Le couple alla finalement se placer dans un banc, à quelques pieds de celui où André avait pris place. En passant, le manteau de Mme Lescault effleura le bras de son fils. Le regard toujours sévère de son père l'empêcha d'aller s'agenouiller plus près d'eux, pour y respirer un peu de cet arôme maternel dont il était privé depuis six ans. Il mit ses mains sur sa figure pour cacher son émotion, mais finalement, n'y tenant plus, il sortit de l'église.

– Je reviendrai dimanche prochain, se dit-il en sortant.

Le dimanche impatiemment attendu ne procura pas à André le bonheur désiré. Ses deux frères ne se présentèrent pas à l'ouvrage le lundi matin, et, après informations prises, il ne put que constater le départ de sa famille pour Verchères. Les événements avaient marché plus vite qu'il ne s'y attendait et il en prit son parti.

X

Après un mois de convalescence, le médecin ayant déclaré Agathe complètement rétablie, il lui fut permis de recevoir André. Mme Drassel ne voyait plus d'un aussi mauvais œil ses visites hebdomadaires.

Le commérage, cependant, suivait toujours son cours et Mme Wolfe ne perdait pas une occasion d'essayer de brouiller les amoureux, au profit de son fils. Une occasion favorable devait bientôt se présenter, car Mme Drassel avait décidé que sa fille ferait ses débuts au cours d'un bal célèbre. Mme Drassel était une fervente catholique, mais un peu victime du respect humain. Afin de cacher ses scrupules au sujet des danses modernes, elle décida intelligemment, sous prétexte de faire revivre les choses du bon vieux temps, de ne permettre que des danses anciennes. Les invités devaient aussi revêtir les costumes d'autrefois. Les danses modernes furent ainsi exclues, sans que personne se doutât de son stratagème.

Cet événement mondain était attendu avec anxiété par la « Haute » de Chicoutimi, mais l'intérêt que suscita ce bal s'étendit bien au delà des limites de la petite ville.

Le onze novembre, anniversaire de l'armistice, fut le jour fixé pour le bal. La spacieuse résidence des Drassel se prêtait bien à ces sortes de réunions mondaines, quoique la vie plutôt retirée de ses hôtes n'en donnât pas souvent l'occasion. La chaude hospitalité dont jouissaient ceux qui en étaient favorisés était cependant bien connue.

Malgré les protestations de Mme Drassel, André fut au nombre des invités.

Une discussion assez vive avait précédé l'invitation d'André au bal. Poussé par Agathe, son père avait ouvert la discussion :

– Je suppose, dit-il à son épouse d'un air de nonchalance simulée, que tu n'as pas oublié le gérant des usines, sur ta liste d'invités ?

– Je m'y attendais, répondit-elle sèchement. Tu n'aurais pas voulu me laisser jouir complètement de cet événement !

– Oh ! je croyais que tu donnais ce bal pour Agathe, répondit M. Drassel, feignant l'étonnement. Veux-tu qu'Agathe soit triste ou gaie, joviale, primesautière, ou morne et sans éclat, pour son début dans le monde que tu aimes tant ?

– Voilà une pierre dans mon jardin, que je ne prise guère. J'ai bien le droit d'aimer un peu le monde, et dans l'état de fortune où nous sommes, je n'en abuse pas ; je me plie plutôt à tes goûts casaniers et je ne m'en plains pas.

– Que veux-tu ? On n'a pas tous les mêmes goûts. Moi, j'aime mieux construire des usines, donner du travail aux ouvriers ; c'est un peu plus intéressant que la vie mondaine !

– Oui, pour être payé d'ingratitude ! Témoins, ces bruits sourds de grève à propos du travail du dimanche. Je crains fort que tu ne réchauffes des serpents, qui n'attendent que l'occasion favorable pour te mordre au talon.

– Je crois que tu exagères, ma femme. La situation n'est pas aussi désespérée que tu sembles le croire, mais nous sommes loin de notre sujet.

Haussant soudain la voix, M. Drassel continua :

– André devra être au nombre des invités : Agathe le désire, et moi aussi. Tu parles d'ingratitude à ton aise, mais il n'y a pas que celle des petits envers les grands qui compte. Nous avons aussi nos obligations, et il ne convient pas que celui qui a sauvé la vie d'Agathe soit exclu de notre société.

– Toujours l'éternel sauvetage. Pour un stratagème habile, c'en est un, il ne perd pas le fruit de ses victoires !

– En voilà assez, répondit sèchement M. Drassel. André sera de la partie ou le bal n'aura pas lieu !

– Dis donc mon gendre, tu en as envie ! répondit ironiquement Mme Drassel.

M. Drassel sourit d'abord à cette petite malice de la part de son épouse, mais ajouta sur un ton plus calme :

– Tu l'annonceras toi-même à Agathe, pour que nos différends n'aillent pas jusqu'à elle.

– Tu me combles, répondit-elle, toujours du même air railleur.

XI

Les arts, les lettres, la science, la finance, les professions libérales, le commerce étaient représentés, au soir du onze novembre, chez les Drassel. Les costumes de l'époque de 1830 donnaient du relief à la fête. Le beau sexe, en particulier, avait mis toute sa coquetterie à n'oublier aucun détail des toilettes de cette époque.

Agathe parut au bras de son père, vêtue d'une robe gris argent, pailletée d'or. Une bouffée d'admiration sortit de toutes les poitrines, à la vue de sa robe simple, complète, et par là même distinguée.

Il fut convenu qu'Agathe prendrait part à la première danse avec les jeunes, et chacun se mit en devoir de se choisir une partenaire.

- Demande Mlle Drassel, avait chuchoté Mme Wolfe à l'oreille de son fils.

Fort du conseil de sa mère, Peter Wolfe s'avança vers Agathe et fut suivi des yeux par toute l'assistance.

L'air désappointé d'Agathe fit pressentir un échec au fils de l'ambitieuse juive. Elle répondit assez haut pour être entendue de tous :

- Je le regrette beaucoup, mais ma première danse est promise à M. Selcault.

Étonnement général ! Quel était ce M. Selcault qu'elle préférait au fils de la riche juive ? Celui-ci ne tarda pas à les tirer d'inquiétude. Avec l'assurance que donne une position conquise d'avance, il s'avança, élégant, hautain, avec toute la sûreté d'un homme du monde habitué à ces réunions mondaines. L'air heureux d'Agathe trahit toute sa joie de danser la première danse aux bras d'André.

- Voilà un début qui ne sera pas à recommencer, si les apparences ne sont pas trompeuses, dit la voisine de Mme Wolfe, puis ajoutant aussitôt : Quel est ce jeune homme élégant ?

À ce moment, l'orchestre attaqua un menuet et les pieds glissèrent sur le plancher ciré de la grande salle de danse.

- Je n'ai pas répondu à votre question, reprit Mme Wolfe en s'adressant à Mme Rancourt : C'est un aventurier, venu de je ne sais où !

– Et que fait ce jeune homme dans le monde ?

– Il est gérant des usines de M. Drassel.

– C'est un drôle d'aventurier, tout de même, répondit Mme Rancourt ; M. Drassel, qui est un homme d'affaires, n'aurait certainement pas choisi le premier venu pour gérer ses usines.

– C'est lui qui a sauvé la vie de Mlle Drassel, quand elle faillit se noyer, il y a deux mois. C'est cela qui lui a valu la confiance de son patron.

– C'est à votre fils qu'elle a refusé la première danse ?

– Vous le connaissez ?

– Il vous ressemble à ne pas s'y tromper !

– Un beau joueur de golf, je vous assure !

Et beau danseur, comme vous voyez. Il a pris vingt leçons chez un professeur, pour se mettre au courant de ces danses anciennes, que je ne prise guère, vous savez.

– Et que fait votre fils dans la vie ?

– Il joue au golf ! répondit Mme Wolfe, presque scandalisée de la question de Mme Rancourt.

– Franchement, j'aime mieux l'emploi de M... Comment dites-vous, Sel... ?

– Selcault !

– Eh bien ! M. Selcault a certainement un avenir brillant devant lui ; déjà gérant de la plus grande pulperie du Canada, à son âge !

La danse finit au moment où Mme Wolfe, rompant la conversation avec Mme Rancourt, alla s'asseoir près de Mme Duprix.

André et Agathe se dirigèrent vers la salle à manger que l'on avait commencé à préparer pour le réveillon. Un bouquet de reines-marguerites ornait le milieu de la table d'honneur. Agathe en prit une dans ses mains et commença à en arracher les pétales un à un.

– Il m'aime, il ne m'aime pas, il m'aime, il ne m'aime pas, il m'aime, il ne m'aime pas... Il m'aime ! dit-elle joyeusement, en arrachant le dernier pétale. Essayez à votre tour, dit-elle à André.

– Il ne restera plus de marguerites, répondit André, si tout le monde se met à les effeuiller.

– Vous ne voulez pas savoir si je vous aime ? dit câlinement Agathe.

André saisit nerveusement une marguerite et commença à arracher les pétales à son tour.

– Pourquoi tremblez-vous ? dit Agathe.

– Si elle allait mentir, répondit tristement André.

– Si elle a l'air de vouloir mentir, tirez les deux derniers à la fois, chuchota tout bas Agathe à l'oreille d'André.

– C'est une idée, répondit-il rassuré ; et il se mit à arracher deux pétales à la fois.

– Comme vous y allez ! remarqua Agathe.

– C'est l'amour qui la dévore ! répondit André, tout en continuant à arracher deux pétales à la fois. Il m'en reste deux ! Alors, voilà ! Elle m'aime deux fois, dit-il en riant.

– Le langage des fleurs ne ment pas ! reprit Agathe sérieusement.

L'orchestre se mit de nouveau en mouvement et les gens mariés s'alignèrent pour un quadrille. M. Drassel offrit son bras à Mme Wolfe, pendant que Mme Drassel accepta celui de M. Rancourt. Stimulés par l'exubérance de la jeunesse qui les avait précédés, ils dansèrent avec entrain, comme si les années n'avaient pas encore laissé sur eux leur empreinte.

On dansa ainsi jusqu'à une heure du matin. Tantôt les jeunes se mêlaient aux plus âgés, tantôt ils dansaient séparément, mais toujours avec entrain.

Mme Drassel invita ses hôtes à passer à la salle à manger pour réveillonner. Un étalage de fleurs des plus variées ornait les multiples tables de deux et de quatre couverts. Un bouquet de marguerites ornait celle où Peter Wolfe prit place. Il en saisit une, l'effeuilla nonchalamment : Elle m'aime, elle ne m'aime pas ; elle m'aime, elle ne m'aime pas... Elle... ne... m'aime... pas, dit-il à demi haut, en tirant le dernier pétale et en cherchant sa mère du regard. André et Agathe s'assirent à une table de deux couverts, au milieu de laquelle un bouquet de six roses rouges répandait son suave parfum.

– Vous me disiez, quand nous avons quitté la salle à manger, après avoir effeuillé les pétales de marguerites, que le langage des fleurs ne ment pas ?

– Non, jamais ! Et savez-vous ce que représentent ces roses rouges ?

– Je l'ignore, répondit André un peu embarrassé.

– Leur couleur représente l'amour, et leur parfum, la fidélité.

– Et comment faites-vous parler celles-ci ?

– Celles-ci ne parlent pas : on y lit comme dans un livre. Le rouge représente le sang qui vient du cœur, et le parfum, qui demeure même après qu'elles se sont fanées, la fidélité ! Ce qui veut dire que l'amour est fidèle même après la mort.

– C'est bien ainsi que je le comprends.

– Alors, dit Agathe en se levant, je vous décore de son emblème. Voici le sceau qui scellera notre amour, continua-t-elle en attachant une rose à la boutonnière d'André.

– Vous me comblez de bonheur, mais...

– Vous ne m'aimez pas, alors ? dit Agathe d'un air boudeur.

– Oui, je vous aime, Agathe ; mais je vous disais, tout à l'heure, que si les fleurs ne mentent pas, les hommes, eux, mentent quelquefois ! Eh bien ! puisque nous nous aimons mutuellement, je vous dois la franchise ; mon nom est un mensonge !

– Que me dites-vous là, André ?

– La vérité !

– Que dira papa en apprenant cela ?

– Votre père sait tout et il a consenti à mes visites en pleine connaissance de cause.

– Oh ! vous me rassurez, André. Que j'ai eu peur ! Si papa est au courant, je ne vous demande pas votre secret.

– Je préfère vous l'apprendre, cependant, avant que Mme Wolfe ne crée un scandale, car j'ai saisi entre elle et Mme Rancourt quelques bribes de conversation qui m'ont démontré qu'elle connaît quelque chose de ma vie. Son mécontentement au sujet de votre refus de danser la première danse avec son fils pourra bien lui donner le désir de faire éclater ce scandale.

– Il sera toujours temps de me le dire, André !

– Je préfère tout vous dire maintenant, et si, connaissant mon histoire, vous m'aimez encore...

– Je vous jure, interrompit Agathe, que si vous avez eu des malheurs, je ne vous en aimerai que davantage !

Tous les invités étaient retournés à la danse, pendant qu'André faisait à sa fiancée le récit de ses malheurs. Agathe l'écoutait avec une religieuse attention et portait de temps en temps son mouchoir à ses yeux.

Le jour surprit les danseurs fatigués qui se séparèrent pour retourner chacun chez soi. Écrasée par le récit d'André, Agathe se retira immédiatement dans sa chambre qu'elle ferma à clef, pour être bien seule avec ses pensées.

« Je ne vous épouserai pas, cependant, avant d'avoir réhabilité mon honneur et repris mon nom véritable » : telles furent les dernières paroles d'André en quittant Agathe. Cette phrase dite sur un ton sans réplique résonnait encore à ses oreilles ahuries. Qu'importe, ils s'étaient juré fidélité en face de Dieu qui sait tout et « des fleurs qui ne mentent pas ».

Elle posa sa tête fatiguée sur son oreiller et le sommeil ne tarda pas à la vaincre, harassée qu'elle était par la fatigue et l'émotion de cette nuit inoubliable.

XII

« Les jours se suivent et ne se ressemblent pas », dit le proverbe, et les proverbes prophétisent parfois ! À peine M. Drassel était-il entré à son bureau, qu'une délégation composée des chefs ouvriers demandait à lui parler. Les rumeurs de grève, auxquelles M. Drassel n'avait d'abord pas cru, avaient pris corps et c'était le but de l'entretien demandé au patron : ce dernier devait se rendre à leur demande de faire cesser le travail du dimanche, ou la grève serait déclarée sans merci.

Le grand papetier fit une colère noire et couvrit ses ouvriers d'injures, avant même d'entendre tous leurs griefs. Pas une parole acerbe, cependant, ne sortit de la bouche de ceux-ci.

– Nous connaissons votre bonté pour nous, dit le chef de la délégation sans s'émouvoir. La raison qui nous force à déclarer la grève en est une de principe. Nous sommes tous chrétiens et, la plupart, catholiques comme vous. Assurez-nous que vous ferez cesser le travail du dimanche et nous retournerons à l'ouvrage immédiatement. Les machines fonctionnent encore, mais les ouvriers n'attendent qu'un signal pour cesser tout travail, si votre réponse est défavorable.

– Allez dire à ces imposteurs, dit M. Drassel, se tournant du côté d'André, que s'ils abandonnent le travail, je ferme les usines pour toujours ! Je suis maître chez moi et je n'entends pas m'en faire imposer par qui que ce soit !

– Monsieur Drassel, répondit André, force m'est de vous désobéir ; je suis de cœur avec eux ! Sans faire parade de mes principes, vous savez que je ne les ai jamais cachés !

– Ah ! c'est ainsi que vous me récompensez des faveurs que je vous ai faites, vociféra son patron.

– Et mes services, à quoi comptent-ils ? répondit fièrement André.

– Vos services ? je les ai payés ! Vous vous êtes introduit chez moi comme le loup dans la bergerie. Eh bien ! je vous chasse, vous et vos pareils ! Je suis catholique comme vous, mais il y a des nécessités incontrôlables et celle-ci en est une. On travaille le dimanche dans toutes les usines de la province.

– C'est ce qui aggrave le mal, Monsieur Drassel ! Puisque vous me chassez, c'est moi qui conduirai la grève !

– Alors, à nous deux... Selcault ! dit M. Drassel d'un air de mépris. « Oignez vilain, il vous poindra », ajouta-t-il en faisant claquer la porte derrière la délégation qui sortait de son bureau.

André accompagna les ouvriers à leur comité de réunion, pendant que M. Drassel sortit de son bureau et se dirigea vers sa demeure, encore toute empreinte des splendeurs de la veille.

Rendu à leur comité de réunion, celui qui s'était constitué le chef des grévistes les harangua ainsi : « Messieurs, vous venez de poser un acte qui vous fait honneur. La violation du dimanche qui s'étend à toutes les usines de papier de la province est une chose que nous avons fini de tolérer. Vous avez pris en main l'autorité qui, elle, a failli à son devoir ! Il nous faut cependant agir, au cours de cette grève qui pourra être longue, comme de vrais chrétiens, dignes de ce nom. Il siérait mal à des catholiques de se livrer à des violences qui pourraient les conduire à commettre des dépradations ou à causer quelque désordre. Vous respecterez la propriété de votre patron qui vous a toujours bien traités et bien payés. Il souffre du mal de tous les papetiers : celui de croire que les usines ne peuvent cesser le travail du dimanche sans encourir de grands dommages. M. Drassel est un homme juste, et sous cet air autoritaire qu'il prend à l'usine se cache un cœur d'or. Il ne transige pas avec son autorité. La surprise que vous lui avez causée est la raison des insultes qu'il nous a prodiguées, mais je suis sûr qu'il regrette déjà les paroles acerbes qu'il a proférées. Quand il aura compris l'honnêteté de vos motifs, il se rendra à vos désirs.

« Comme vous, je subis l'outrage d'un renvoi insultant ! Comme moi, vous resterez calmes, et respectueux des lois. Quand notre patron verra que nous respectons la loi de l'ordre, il respectera celle du dimanche qui a été dictée par Dieu dans le décalogue. Je sais qu'en m'unissant à vous, je sacrifie mon avenir, mais je le fais sans regret, heureux de servir une bonne cause, la vôtre comme la mienne, mais surtout celle de Dieu, qui a travaillé six jours et s'est reposé le septième. »

Un tonnerre d'applaudissements couvrit les dernières paroles d'André, puis les ouvriers se dispersèrent pour gagner chacun son domicile.

XIII

M. Drassel était rentré furieux à la maison, et c'est avec des éclats de voix auxquels les siens n'étaient pas habitués, qu'il leur annonça la mauvaise nouvelle.

– Me voilà ruiné ! dit-il en se jetant dans un fauteuil. Toute une vie de travail pour amasser une fortune qui, demain, peut-être, s'échappera en fumée. Qui sait ce que peuvent faire des ouvriers en fureur ? Et ce Selcault, qui, par surcroît, s'est mis de leur côté.

– Que dis-tu, papa ? dit Agathe toute tremblante.

– Je dis... je dis... que j'ai réchauffé une vipère !

– Non, papa, je crois que la colère t'aveugle au sujet d'André. Tu sais qu'il a toujours été contre le travail du dimanche ; comme toi, d'ailleurs, au fond. S'il t'avait appuyé tu n'aurais plus eu confiance en lui, car il aurait prouvé qu'il manque de sincérité. Pour lui, l'observance du dimanche est sacrée. Il m'a déjà dit combien il déplore ce travail ininterrompu le jour du Seigneur. Je suis de son opinion, car le petit catéchisme de Québec dit la même chose. J'ai aussi lu dans l'Histoire Sainte qu'un homme avait été puni de mort pour avoir ramassé du bois le jour du sabbat, et pourtant, son crime n'était rien en comparaison de celui des papetiers du Canada qui forcent des milliers d'hommes à violer le dimanche.

– Ah ! les principes ; j'en ai, moi aussi ! Je suis catholique et c'est à regret que je suis tenu de faire comme les autres pour faire concurrence. Vaudrait autant la ruine immédiate, complète, que la ruine à petite dose !

– Tu parles à tort, reprit Mme Drassel. Ce n'est pas le travail du dimanche qui enrichit.

– Vas-tu prendre leur défense, maintenant ?

– Non, mais devant le fait accompli, il vaudrait peut-être mieux céder tout de suite.

– Céder, jamais ! Il ne sera pas dit que chez Drassel, c'est la queue qui mène la tête ! Ah ! Selcault ! Il me le paiera ! Sans lui je les aurais vite matés !

– Qui sait, c'est peut-être pour le mieux, répondit timidement Mme Drassel. Un bateau sans gouvernail est plus exposé à périr que celui qui en est muni. André ne laissera pas commettre de dépradations par les ouvriers ; ils ont pleine confiance en lui.

– Tiens, voilà que tu prends sa défense... et que tu l'appelles André à ton tour. Il est bien vrai de dire que les femmes sont toujours de travers !

– Les femmes savent quelquefois donner de sages conseils.

– Oui, reprit Agathe se faisant câline. Ne te fatigue pas ainsi, papa, si les usines restent fermées, il y a toujours ma dot. Dix millions de dollars, tu seras encore un homme à l'aise. Quant à moi, j'aime mieux conserver mon papa chéri que tous les millions du monde. Si tu veux, nous partirons en voyage. Tu verras comme ils seront en peine de nous voir partir quand ils constateront que nous nous fichons d'eux.

– Non, mon devoir est de rester ici et de veiller sur mes intérêts. Et dire que j'avais rêvé de voir Selcault devenir mon gendre, pour qu'il continue l'œuvre que j'avais si bien commencée !

– Laissons là le sujet, reprit Agathe toujours calme, et va te reposer.

M. Drassel se laissa enfin persuader et sourit aimablement à son épouse et à sa fille en prenant congé d'elles.

XIV

Deux semaines et bientôt deux mois s'écoulèrent sans qu'aucun règlement possible parût à l'horizon. Chacun attendait, derrière ses retranchements, le mouvement propice pour réduire l'autre à quia. André conduisait les grévistes à l'église tous les dimanches, et des prières particulières étaient dites par leur aumônier pour le règlement des difficultés, mais surtout pour le triomphe du repos dominical. Quelques foyers manquaient de pain, et la faim, mauvaise conseillère, commençait à faire gronder les premiers atteints. Les bouchers de même que les épiciers refusaient d'avancer des vivres aux grévistes, car la rumeur s'était répandue que les usines seraient fermées définitivement, et même qu'elles seraient démolies. Seule l'autorité d'André tenait les grévistes en respect. Quelques-uns voulaient se rendre, pendant que d'autres l'accusaient d'être à la solde du patron pour les tromper et les endormir.

La position devenait intenable, quand un événement, malheureux en soi, mais heureux pour les grévistes, vint sauver la situation. La débâcle menaçait de causer des dégâts considérables aux usines. L'eau s'était aussi infiltrée, petit à petit, dans les turbines, et la gelée menaçait de tout faire sauter. André en profita pour faite une diversion et proposa aux ouvriers, afin de prouver leur bonne foi à leur patron, de lui offrir de faire les réparations d'urgence.

André se présenta à leur tête à la résidence de M. Drassel, pour lui demander une entrevue. Le patron, qui avait recouvré sa bonne humeur, rentra en colère quand il apprit la démarche des ouvriers.

– Bandits ! Vauriens ! Ingrats ! Ah ! ils viennent demander grâce. Qu'ils attendent !

– Si tu ne les reçois pas, je les recevrai moi-même, dit Mme Drassel.

– Je vais les recevoir à ma façon, répondit-il. Faites-les passer dans mon cabinet de travail.

André s'avança à la tête des grévistes et salua son patron.

– Ah ! vous voilà qui venez parlementer. Je savais bien que, quand vous auriez faim, vous demanderiez grâce !

– Vous vous trompez du tout au tout, Monsieur Drassel,

répondit André. Les ouvriers, qui ont meilleur cœur que vous ne pensez, ont constaté que les turbines subissent des dommages considérables par l'infiltration de l'eau qui menace leur destruction.

– Ce n'est plus le temps de venir pleurer sur mes malheurs, vous qui les avez causés, répondit le patron d'un air froid. Que les usines sautent ou croulent, peu m'importe.

– Prenez garde de prophétiser, répondit André d'un ton ferme. Les esprits s'échauffent et j'ai peine à les contenir.

– Si vous ne les aviez soutenus, il y a longtemps que je les aurais réduits à demander grâce !

– Il n'y a pas qu'ici où les esprits s'agitent, tous les ouvriers de la province menacent de déclarer une grève de sympathie. Les vôtres menaceront peut-être l'usine, si, par votre obstination à ne pas laisser réparer les dommages, vous montrez votre détermination à la fermer.

– J'appellerai la police à mon aide, répondit M. Drassel, se levant comme pour menacer la délégation.

– Trop tard, Monsieur Drassel, répondit André en dépliant, devant les yeux de son patron, un journal couvert d'une manchette énorme. Lisez vous-même, dit-il.

– Comment ? Que me dites-vous ?

M. Drassel se mit à lire tout haut :

Le Gouvernement est renversé !

« Le Gouvernement a été renversé hier soir, vers les minuit, à la suite d'un débat célèbre soulevé par le jeune député du Lac-Saint-Jean (partisan habituel du Gouvernement), sur le travail du dimanche.

« Dans un langage lapidaire, il fustigea le ministère qui laissait violer une loi votée par le Parlement. Pendant que le jeune député parlait, l'enthousiasme commença à s'emparer des députés des deux côtés de la Chambre. Les pupitres battaient à chaque phrase qu'il martelait de sa voix chaude et convaincante. L'enthousiasme gagna bientôt la galerie débordante, grisée par l'éloquence du brillant représentant du Lac-Saint-Jean. Le vacarme devint indescriptible quand, dans une péroraison enlevante, il souleva l'enthousiasme qui devint du délire. Ce discours restera célèbre dans nos annales parlementaires, tant par la forme que par le fond, mais, surtout à cause de ses conséquences.

« En vain, le premier ministre essaya-t-il de répondre au jeune député sur qui il avait fondé les plus belles espérances pour son parti. »

« – Le vote ! le vote ! criait-on de toutes parts.

« Le président, voyant qu'il ne pouvait rétablir l'ordre, quitta le fauteuil présidentiel. À son retour, les mêmes vociférations recommencèrent. Voyant que l'on ne gagnerait rien à remettre le vote, le premier ministre se soumit à la volonté de la Chambre qui semblait être en même temps l'opinion populaire.

« Tout le monde, dans les galeries, haletait d'anxiété en voyant chaque député aller nerveusement déposer son vote en face du président.

« – Pour la motion : 60. Contre : 22. Majorité : 38, cria le président.

« Le Gouvernement était battu par une majorité de 38 en faveur de la motion de non-confiance.

« Pâle de colère et d'émotion, le premier ministre quitta son siège, suivi de ses ministres.

« – Je donnerai ma démission dès ce jour, dit le premier, assez fort pour être entendu de toute l'assistance. »

La délégation avait attendu silencieusement l'effet que produirait sur leur patron la lecture de l'article du journal. Ils le virent passer du rouge au violet et du violet au bleu, pour revenir à une livide pâleur.

– J'ai raté ma dernière cartouche, dit rageusement M. Drassel en « frondant » le journal à distance.

– Vous oubliez que ce journal m'appartient, dit André en allant le ramasser.

M. Drassel resta longtemps silencieux, pendant que la délégation attendait sa réponse.

– Vous réparerez les dégâts, dit enfin M. Drassel. Aussitôt les réparations finies, vous reprendrez l'ouvrage.

– À une condition, dirent les ouvriers : c'est que notre gérant reprenne sa position.

– Je verrai à cela, répondit le patron.

– C'est oui ou non, reprit le chef ouvrier.

– Vous passerez à mon bureau demain, dit M. Drassel, se tournant du côté d'André, pour n'avoir pas l'air d'accepter l'ultimatum des ouvriers.

– Je suis à vos ordres, répondit André, avant que le chef des ouvriers ait pu poser d'autres objections.

Pendant qu'ils parlementaient encore, Agathe avait glissé une petite note écrite à la hâte dans la poche du pardessus d'André. Quand il fut parti, il prit le papier dans sa main, et, ayant reconnu l'écriture d'Agathe, il hâta le pas pour arriver au plus tôt au premier réverbère.

Le langage des fleurs ne ment pas !

Je vous aime toujours et vous admire !

AGATHE

lit-il. André porta le papier à ses lèvres, puis repartit du côté de sa pension, où il rentra précipitamment. À peine rentré dans sa chambre, il relut encore une fois ce message de fidélité :

Le langage des fleurs ne ment pas !

Je vous aime toujours et vous admire !

Pour la deuxième fois, il baisa ce simple morceau de papier qui parlait si éloquemment. Sa plus grande épreuve, au cours de la grève, avait été le sacrifice qu'il avait fait de son amour pour le triomphe d'un principe. Celui d'Agathe était intact et son cœur brûlait toujours de la même flamme pour lui.

André était récompensé. Sa conduite avait fait l'admiration de celle qu'il aimait. C'était assez pour lui faire oublier les trois mois d'angoisse à son sujet.

Comment le père accueillera-t-il le gréviste ? était la question que se posait maintenant André.

– Bah ! se dit-il, la Providence a bien réglé la grève, elle arrangera bien nos amours !

Une semaine s'était à peine écoulée depuis la chute du ministère, qu'André reçut la dépêche suivante :

Monsieur André Selcault,

Chicoutimi, P .Q.

Accepteriez-vous ministère du travail, dans le cabinet que je suis à former ? Vous vous feriez élire au cours des prochaines élections générales qui vont suivre la formation de mon cabinet.

Signé : Aimé BOISJOLI

Premier ministre,

député du Lac-Saint-Jean

XV

André n'était pas retourné à la messe au Bassin depuis le commencement de la grève. Il savait que ses parents avaient quitté Chicoutimi pour Verchères et qu'ils devaient être en pleine possession de leur ancienne ferme ; il voulut cependant revivre le moment de bonheur qu'il avait vécu en voyant sa mère et méditer sur ce passé qui semblait déjà si lointain.

Il se rendit pour la grand'messe et prit le même banc, dans je ne sais quel vain espoir, puis fit un retour sur lui-même. Quand reverrait-il sa mère ? Et son père ! Pourquoi cette terreur à sa seule vue ? N'avait-il pas bravé M. Drassel, un homme puissant, et ne l'avait-il pas forcé à accepter ses vues ? Il était pourtant brave, même jusqu'à la témérité. Il l'avait prouvé en sauvant Jack Brown. Agathe lui devait aussi la vie et, pourtant, il tremblait rien qu'à la pensée du regard de son père ! C'est que, dans ce regard, il y avait peut-être plus de douceur que de colère ; car un père ne peut haïr son fils, fût-il criminel. Maintenant qu'il l'avait remboursé, il suffirait peut-être d'un mot pour qu'il le rappelle à lui. Ah ! revoir cette belle ferme de Verchères, s'asseoir à l'ombre des vieux chênes, humer l'air natal, jouir encore de ce bonheur de la vie de famille que rien ne peut remplacer, était son plus ardent désir.

Après la messe, il retourna à sa pension encore rempli de cette émotion intense qu'il venait d'éprouver. Il relut la petite note d'Agathe, la posa devant lui et se mit à écrire.

MA CHERE FIANCEE,

Avec quel bonheur j'ai lu et relu votre note, encore pleine du souvenir de la marguerite qui dit : je t'aime, et du parfum des roses qui disent : je t'aimerai toujours.

Mû par le sentiment du devoir, je me suis joint aux grévistes pour appuyer leurs justes revendications auprès de votre père, assuré d'avance de sa colère et risquant de perdre votre affection. Les mots que je relis en ce moment, en même temps qu'ils me rappellent des choses inoubliables, me prouvent que vous m'avez compris et que vous avez aussi compris le motif de mon silence au cours de ces longs mois d'angoisse.

Combien de fois ai-je saisi ma plume pour vous écrire, et combien de fois l'ai-je remise à sa place, incapable de continuer ? Dieu seul le sait, mais j'éprouvais toujours je ne sais quelle crainte indicible ! Crainte puérile, puisque je suis toujours assuré de votre fidélité. Ai-je craint réellement ? Vous m'aviez donné votre parole, vous m'en aviez vous-même fait le serment et vous n'aviez rien retiré. Ah ! oui, vous êtes bien l'objet chéri dont la rose est l'emblème ! Le doux parfum que je respire en pressant sur mes lèvres ce pétale vivant, tiré de votre cœur, me prouve qu'en effet le langage des fleurs ne ment pas. Une intuition intime me disait que vous approuviez ma conduite, car je connaissais vos principes. J'en ai aujourd'hui l'assurance et c'est la plus belle récompense que Dieu pouvait me donner pour les sacrifices que j'ai faits pour lui.

J'ignore quel sera le résultat de l'entretien que j'aurai demain avec votre père ; mais, quoi qu'il advienne, je resterai fidèle à mon serment jusqu'au jour de ma réhabilitation complète, pour laquelle je sollicite la faveur de vos ardentes prières.

ANDRE

XVI

Le bruit s'était répandu qu'un ministère avait été offert à André dans le cabinet Boisjoli et M. Drassel l'avait appris par les journaux. Fort de cette offre, c'est avec un air d'assurance que le jeune homme se présenta au bureau de son patron pour répondre à son invitation.

- Entrez ! dit M. Drassel d'un ton aimable, quand il frappa à la porte.

Après avoir offert un siège à André, M. Drassel entra immédiatement en matière.

- Vous m'avez causé un grand tort, Selcault, dit-il.

- Je ne le conçois pas ainsi, répondit André. Ce n'est pas moi qui ai déclaré la grève ; je n'ai même pas contribué à la mettre en mouvement, mais, du moment qu'elle était déclanchée, c'était mon devoir de la soutenir.

- Il y a longtemps qu'ils auraient demandé grâce, sans votre participation !

- Et vos usines fonctionneraient encore le dimanche !

- Devant la nécessité, il n'y a pas de loi !

- Dieu n'a pas institué le troisième commandement pour le laisser transgresser et cette grève est la punition qu'il vous a infligée afin de vous ouvrir les yeux.

- Je n'avais pas pensé à cela, Selcault. Peut-être avez-vous raison ; mais si je ferme mes usines le dimanche, j'opérerai à perte.

- Alors comment arriverez-vous de l'autre côté avec une fortune que vous aurez édifiée en profanant le dimanche ?

M. Drassel hésita un instant, puis répondit par une question :

- Acceptez-vous le ministère qu'on vous offre dans le nouveau cabinet socialiste ?

- Si c'est du socialisme, c'est du socialisme chrétien, et j'en suis ; mais je crois que vous le dites plutôt par dérision.

- Dieu m'en garde ! Peut-être n'ai-je pas la juste compréhension du socialisme. En tout cas n'y voyez aucun sarcasme au sujet de M. Boisjoli. Ce n'est d'ailleurs pas le temps de discuter cette question qui m'intéresse plus ou moins, moins que plus ! Celle qui nous occupe en ce moment est de savoir si je puis remplir ma promesse, tacite il est vrai, de vous reprendre à mon service. Peut-être à votre tour refuserez-vous, avec les honneurs qui vous attendent ? Je comprends maintenant que l'opinion publique est contre le travail du dimanche et je commençais déjà à réfléchir, quand la chute du ministère m'a complètement ouvert les yeux.

Vous êtes libre de reprendre vos fonctions au même salaire, mais à une condition, c'est que vous me prouviez, par votre administration, que je puis opérer avec profit, en travaillant six jours par semaine.

– Je m'en fais fort, avec l'aide de Dieu, répondit André, touché de la confiance que M. Drassel lui témoignait. J'avertis le premier ministre que je ne puis accepter son offre et je reprends mes fonctions.

– Alors, que le passé soit oublié, dit M. Drassel, en serrant la main d'André. Je reprends mon voyage interrompu l'an dernier. Cette lutte m'a beaucoup fatigué. J'emmène ma famille avec moi afin de n'avoir aucune inquiétude.

– Puisque nous sommes réconciliés, permettez-vous que je revoie Agathe ?

– Quand je tends la main à un homme, ce n'est pas pour le frapper au cœur. Vous pourrez voir Agathe avant notre départ.

La famille Drassel boucla ses malles pour l'Europe, quelques jours plus tard, et elle s'embarqua sur le premier bateau à destination d'Écosse.

XVII

C'était presque un défi qu'avait lancé M. Drassel à André, en lui remettant entre les mains la responsabilité des usines. Ce dernier pourrait-il lui démontrer qu'elles pouvaient rapporter un profit équivalent, en fonctionnant six jours par semaine, au lieu de sept ? Il fallait aussi la conviction et le courage d'André pour mettre ainsi sa réputation en jeu ; mais il n'hésita pas un seul instant, bien décidé à prouver ses avances.

Après le départ des Drassel pour l'Écosse, il se mit résolument à l'ouvrage, afin de réparer les dommages subis par les machines au cours de la grève. Les ouvriers y allèrent avec tant d'entrain que le travail dura à peine une semaine.

Pour fêter la fin de la grève, ceux-ci se réunirent dans leur salle ordinaire, où André les harangua.

– Messieurs, leur dit-il, nous avons fait la grève pour le triomphe d'un principe ! Nous avons gagné avec l'aide de Dieu, qui ne pouvait être contre nous, quand nous prêchions, par le sacrifice, l'observance de sa loi.

À partir d'aujourd'hui, je cesse d'être votre confrère pour redevenir votre gérant. Vous savez quels devoirs m'incombent, en reprenant ma position. De votre côté, vous avez aussi un devoir à accomplir : celui de prouver à notre patron, que nous respectons d'autant plus qu'il s'est montré magnanime à notre égard, que ses usines, dans lesquelles il a investi des sommes considérables, peuvent lui rapporter profit en opérant six jours par semaine au lieu de sept. C'est à cette question seule qu'il bornait son opposition au repos du dimanche ; c'est à cette seule question que nous devons répondre. Pour vous, c'est celle de votre pain quotidien ; pour moi, c'est l'enjeu de ma position. Il faut que, par un travail consciencieux et intelligent, vous m'aidiez de toutes vos forces à remplir ma promesse. Ce sera une nouvelle victoire ajoutée à la première, ou plutôt ce sera la victoire que nous aurons remportée sur cette idée fausse, que le travail du dimanche est nécessaire.

– Vive le patron ! Vive le gérant ! crièrent les ouvriers à l'unanimité.

Les usines furent bientôt en pleine activité, et la bonne humeur et l'entrain des ouvriers contribuèrent beaucoup au rendement supérieur des machines. Si un accident causait l'arrêt d'une unité, vite on se mettait en train de la réparer dans le plus court délai possible, et elle recommençait à ronfler comme de plus belle.

Les gros rouleaux de papier à journal étaient chargés directement sur les wagons au lieu d'être entreposés, car la grève avait vidé les entrepôts,

Au retour de son voyage, M. Drassel constata que ses profits, au lieu de diminuer, avaient considérablement augmenté. Il ne put s'empêcher d'en manifester sa satisfaction à André. Ce dernier éprouvait plutôt une satisfaction morale, pendant que le premier était satisfait des dollars qui tombaient dans son gousset. Un jour, il déclara franchement à André qu'il éprouvait lui-même un soulagement, à la pensée que le dimanche serait dorénavant respecté dans ses usines.

XVIII

Malgré ses succès en affaires et la reprise de ses visites après le retour d'Agathe, André ne pouvait se défaire de l'impression pénible que lui laissait le souvenir de la vue de sa mère à l'église du « Bassin ». Comme il regrettait maintenant de n'être pas allé se jeter dans ses bras pour lui crier de toute la force de ses poumons : Le voici celui que vous cherchez du regard et que vous croyiez perdu ; celui pour lequel vous venez encore de prier dans un vain espoir de le revoir ! Voici que votre prière est exaucée ! Mis en présence de son fils, le père aurait peut-être pardonné ; mais..., ce mais angoissant l'avait fait hésiter, et ils étaient maintenant séparés de nouveau. Les verrait-il jamais ? Et ses frères, pourquoi ne s'était-il pas fait connaître à eux ? Vingt fois, il avait été tenté de le faire et, vingt fois, il avait reculé. Pourquoi cette timidité envers les siens chez qui devait encore demeurer un amour latent pour lui ? Ne devaient-ils pas l'aimer d'autant plus qu'il avait été plus malheureux ? Il en était à ces réflexions intimes quand, en lisant son journal, sa vue s'arrêta sur un gros titre : *Émouvante histoire d'une famille de Verchères,* etc., etc.

Toute l'histoire de sa famille était racontée, depuis les moindres détails du procès jusqu'à son retour à Verchères. Un reporter sans scrupule, ayant eu vent du retour des Lescault à Verchères, s'était rendu chez eux et, leur ayant fait raconter leur odyssée, l'étala impudemment dans son journal. Qu'importait à ce journal la boue avec laquelle il éclaboussait cette famille retournée paisiblement à son ancienne terre, pourvu que la cupidité de ses lecteurs fût satisfaite.

Ah ! au moins, que la famille Drassel et surtout Agathe ne lise pas ce sale article, se dit André. Il prit le journal et alla le jeter au feu.

Mme Wolfe ne manquerait pas l'occasion de faire des siennes au moyen de cet article. Le bal depuis longtemps annoncé, chez les Duprix de l'Isle Maligne, serait peut-être l'occasion favorable pour faire éclater enfin le scandale et mousser la candidature de son fils auprès d'Agathe. Elle avait entrepris le siège des millions de M. Drassel et une occasion si favorable ne lui échapperait pas. Elle y mettrait toute l'astuce youpine et elle finirait bien par emporter le morceau.

XIX

Un bal fantastique chez les Duprix

La construction du barrage, qui avait mis le génie de l'homme à contribution tout en prouvant la puissance de l'argent, avait fait naître chez M. Duprix le projet de construire un château à nul autre pareil. Les travaux étaient maintenant terminés et on devait faire l'inauguration de cette résidence princière, située sur l'Isle Maligne, en même temps que celle des usines électriques, par un bal qui non seulement ferait époque dans la région, mais auquel s'intéresserait aussi la haute société de Québec, de Montréal, d'Ottawa et même de New-York.

Ce bal passerait à l'histoire comme le plus brillant des temps modernes. En outre de mettre en lumière le génie de l'homme, il devait commémorer le triomphe du progrès dans le monde. Le passé n'était encore que ténèbres comparé à l'ère nouvelle de l'électricité, portée à son paroxysme et presque déifiée.

La mise en marche des immenses turbines, d'un genre nouveau, actionnant des générateurs d'une puissance jusque-là inconnue, allait révolutionner le monde au point de vue de l'électricité.

Ce château de style Renaissance, construit sur le rocher solide que constitue l'Isle Maligne, offrait un aspect des plus imposants.

Une nuée d'ingénieurs électriciens, d'artistes en peinture, en mosaïque et en décoration, des tailleurs sur verre, prêtèrent leur concours pour créer un art nouveau : celui de la mosaïque électrique. Le rocher aride, en face du château, avait été nivelé sur une étendue considérable. Au moyen d'un agencement de minuscules ampoules électriques, cachées sous une surface de verre dépoli et artistiquement taillé, on avait réussi à donner l'illusion d'une pelouse, ornementée des fleurs les plus variées. De larges allées également électrifiées donnaient l'apparence d'un tuf rouge sillonnant cette immense pelouse électrique.

Les fleurs les plus diverses avaient été tellement bien imitées, qu'on aurait été tenté de se baisser pour en respirer le délicieux parfum.

Un obélisque de deux cents pieds, taillé à même le granit de l'île, fut placé au centre. Tout ce jardin artificiel était protégé par une épaisse vitre, taillée de manière à donner du relief à chaque petit détail. Deux millions d'ampoules électriques furent employées à la confection de cette terrasse artificielle, unique au monde.

L'intérieur du château était à l'avenant. Qu'il suffise de dire que trois quarts de million de lumières avaient été requises pour la mosaïque qui ornait le plafond et les murs de la salle de danse. Dix artistes de renom avaient travaillé, pendant cinq ans, à cette merveille mondiale.

On avait taillé, sur le plancher en verre dépoli, des guirlandes de roses que faisaient ressortir des lumières savamment disposées pour donner à chacune sa couleur appropriée.

La spacieuse salle à manger, la salle de jeu, la piscine, tout était à l'avenant.

Par caprice de milliardaire, le boudoir de M. et Mme Duprix ressemblait aux pièces d'une maison ordinaire. M. Duprix avait sans doute prévu que tant de faste et surtout tant de lumière finirait par fatiguer la vue et les nerfs, aussi avait-il réservé un coin du château où ils pourraient se reposer.

Les chambres à coucher, quoique richement meublées et tapissées, n'avaient rien d'extraordinaire. Tout cependant fonctionnait à l'électricité. Chaque chambre était chauffée séparément, et à l'électricité. Monsieur ou Madame désiraient-ils prendre leur bain, la chaufferette électrique était attenante au bain ou à la douche. Madame voulait-elle faire sécher sa belle chevelure, la sécheuse électrique était à sa disposition, et le peigne électrique ajoutait à la souplesse de ses cheveux. Elle se faisait masser la figure à l'électricité et Monsieur avait même son rasoir électrique. Les rayons violets, ultraviolets étaient aussi à la disposition des châtelains. En un mot, tout, même la cuisson, se faisait électriquement.

L'éclairage extérieur était fourni par vingt puissants réflecteurs, invisibles de quelque point qu'on se plaçât, soit sur la terrasse ou dans le château. La lumière se dégageant de la pelouse artificielle ajoutait à la beauté des nuits, transformées en jour par l'intensité des lumières. Chaque section avait été éprouvée séparément et on attendait l'ouverture du bal pour déchaîner ce fleuve de lumières destiné à éblouir les invités.

XX

M. Duprix, calviniste américain, était marié à une juive qui avait hérité d'un milliard de dollars à la mort de son père. Cette fortune ajoutée à celle de son mari, qui en possédait le double, constituait la plus riche union d'écus, en Amérique. Par un égoïsme inexplicable, le ménage était resté sans enfants. C'est pourquoi ils s'appliquaient à essayer de dépenser l'intérêt de leur immense fortune, sans toutefois y réussir. Le barrage et le château avaient à peine permis d'écouler les coupons d'obligations qu'ils gardaient dans leur voûte à New-York. Le couple possédait aussi des châteaux en Floride, en Californie et plusieurs en Europe.

Ainsi comblé de richesses, M. Duprix avait fini par croire plus au progrès qu'à Dieu. Son épouse avait aussi beaucoup contribué à le détacher du reste d'esprit chrétien que garde encore sa religion. Il en était venu à déifier le progrès et toute sa vie s'en ressentait. Il professait un mépris souverain pour les pauvres. Il disait que la religion était bonne pour les petits, les sans-talents ; que c'était le seul moyen de les tenir, par la crainte, dans le respect des lois humaines. Pour lui, les seules lois sages étaient celles qui protégeaient la richesse. Quant aux lois divines, il n'en avait cure, car le sens du surnaturel lui échappait. Le seul sentiment humanitaire qui l'animait était l'amour qu'il avait pour sa femme, probablement plus à cause de ses millions que de sa personne.

Doué d'une énergie que seule peut donner la confiance dans l'argent, il ne reculait devant aucune difficulté où la question d'argent primait.

Un jour qu'on lui reprochait d'avoir inondé les fermes de la région par le barrage du lac, il répondit :

– Nous les indemniserons !

– Mais c'est une illégalité qui peut avoir de graves conséquences, avait-on objecté.

– Nous ferons légaliser l'illégalité, avait-il répondu.

M. Duprix pensait pouvoir résoudre tous les problèmes, comme il résolvait ceux du génie civil. Se présentait-il une rivière comme obstacle :

– Nous construirons un pont ! répondait-il.

Les difficultés du barrage d'un côté de l'île avaient-ils nécessité le projet de construire une colonne de béton d'un million de tonnes :

– Nous la construirons, avait-il répondu froidement à ses ingénieurs. Nous ferons sauter ceci, nous édifierons cela !

Tout était d'une simplicité étonnante pour lui, quand il s'agissait de dollars à dépenser.

– Ceci coûtera douze millions !

– Voici la somme !

– À quoi emploierez-vous cette production électrique sans limites ? lui demandait-on.

– Nous créerons des industries pour l'employer.

Cette force de volonté, appuyée sur une fortune colossale, ne lui faisait douter de rien. M. Duprix ne songeait qu'au progrès. C'est pourquoi il lui avait voué un culte et avait dédié son château à ce dieu nouveau.

XXI

Le bal avait été fixé au douze juillet, ainsi que l'inauguration des douze turbines. Était-ce en sympathie pour les orangistes ? Non ! Le *Credo* de cette secte était aussi indifférent à M. Duprix que le *Credo* tout court. Ce ne fut pas non plus simple coïncidence. Il en avait décidé ainsi, à ce qu'il disait, pour n'avoir pas la lune dans ses jambes.

Les invitations étaient lancées depuis le quinze mai et les mondains, les snobs, ceux qui sont riches ou qui font semblant de l'être, les perpétuelles débutantes qui ne parviennent jamais, malgré l'annonce bien faite de leurs débuts répétés, à frapper le coup décisif, attendaient l'événement avec anxiété.

M. et Mme Drassel avaient accepté, avec plus ou moins d'empressement, l'invitation qui leur était parvenue en France.

André, qui avait été remarqué au bal des Drassel, reçut aussi une invitation qu'il accepta afin d'y accompagner Agathe.

Un bateau spécial, nolisé aux frais de M. Duprix, devait recueillir les invités de Toronto, Montréal, Québec, et même ceux de New-York qui seraient à Montréal à son passage. Ses invités étaient ses hôtes, du moment qu'ils s'embarquaient jusqu'à leur retour chez eux. À Bagotville, où devait accoster le bateau, une nuée d'automobiles réquisitionnées par toute la région était à la disposition des hôtes. Les hommes devaient revêtir leurs habits de cérémonie sur le bateau et les femmes leurs robes... sans cérémonie.

Tel que prévu, le ciel était sans lune par ce beau et tiède soir du douze juillet. De nombreuses étoiles sillonnaient le firmament bleu, à l'arrivée du bateau qui avait été fixée pour dix heures. La longue distance de Bagotville à l'Isle Maligne fut franchie en un court espace de temps par ce défilé innombrable d'automobiles, qui éclairaient la route de leurs phares puissants.

Quel ne fut pas l'étonnement des invités de constater que l'allée qui conduisait au château était éclairée par des réverbères à l'huile, qui jetaient une pâle clarté sur les beautés que leur faisait entrevoir la puissante lumière des phares d'autos. La porte cochère n'était illuminée que par deux chandelles sous globe. Le grand hall d'attente était tout juste assez éclairé pour que l'obscurité ne fût pas complète ; de simples chandelles sur des candélabres d'argent. C'était bien la peine de venir de si loin, pour contempler les ténèbres ! se disaient les plus anxieux.

L'idée de M. Duprix n'avait pas percé jusqu'à eux. Cette obscurité, la chandelle, la lampe à pétrole, c'était le passé qui était représenté. Un silence de mort régnait partout, tant le désappointement était visible.

M. Duprix prit enfin la parole : « Mes amis, je vous ai conviés à venir avec moi fêter le progrès, c'est pourquoi je vous ai mis en face de la réaction. Dans un instant, ce passé obscur fera place à la lumière, lumière créée par l'homme, égale, sinon supérieure, à celle du Grand Architecte de l'Univers. »

En disant ces mots, M. Duprix pressa un bouton et les invités eurent cette vision féerique, qui ne peut se décrire ni s'exprimer.

– Ah ! fut la seule exclamation que l'on entendit, et pas un seul ne put trouver d'autres mots pour exprimer son admiration. Ce ah ! avait coûté douze millions de dollars au propriétaire du château.

Le maître de cérémonies commença ensuite à annoncer les invités :

Monsieur et Madame Jennings (ingénieur-constructeur des travaux) ;

Monsieur et Madame Nathan Greenberg (grand financier de Philadelphie), leur fils Jonas, leur fille Rébecca ;

Monsieur et Madame Dupont des Nos (grand industriel de Boston), leur fille Béatrice (débutante de la saison) ;

Monsieur et Madame Levaux (député), leur fils Robert, leur fille Jeanne ;

Monsieur et Madame Nicholas (ministre des Travaux publics) ;

Monsieur et Madame Trenholm (écrivain) ;

Monsieur Pomieli (artiste peintre), Mademoiselle Pomieli, sa fille ;

Monsieur et Madame Wolfe (industriel de Chicoutimi), leur fils Peter ;

Monsieur et Madame Drassel (industriel), leur fille Agathe ;

Monsieur André Selcault ;

Monsieur et Madame Grantham (Londres, Angleterre) ;

Monsieur Ymallana Arboutina (consul de Siam) ;

Monsieur Raboutski (ministre de Russie) ;

Monsieur et Madame Santerre ;

Monsieur et Madame Strosky ;

Monsieur et Madame Emerenski ;

Monsieur et Madame Jones ;

Monsieur Jacobs, Mademoiselle Jacobs ; Mesdemoiselles Troubord ;

Madame Vachon, son fils Victor ;

Etc., etc...

Le maître des cérémonies continua ainsi, pendant une heure, la nomenclature des invités, à mesure qu'ils présentaient leurs cartes, avec leurs titres, quand ils le désiraient.

Un orchestre de musiciens, triés sur le volet, remplissait la vaste salle d'une musique douce et harmonieuse, pendant que les invités examinaient, à la clarté éblouissante des millions d'ampoules électriques, les détails de cette mosaïque lumineuse.

À l'entrée d'Agathe, tous les yeux s'étaient portés vers elle, car, contrairement aux autres jeunes filles, elle était modestement habillée. Une robe de satin blanc l'enveloppait complètement, ne laissant paraître que ses avant-bras. Elle fut immédiatement entourée de jeunes galants, ce qui n'eut pas l'heur de plaire aux mamans qui avaient si bien réussi à déshabiller leurs filles.

Un jeune artiste américain la pria de lui accorder la première danse dans un fox-trot.

– Je ne danse pas le fox-trot, répondit-elle bien gentiment à celui qui lui avait offert son bras.

– Je vous en félicite, lui glissa-t-il à l'oreille, ça ne convient pas à un ange !

On ne tarda pas à la surnommer la petite oie blanche.

– J'en suis heureuse, car je tiens à la blancheur de mes plumes, répondit-elle à quelqu'un qui lui apprit le surnom qu'on lui avait donné. Allez dire à ces galants jars que je ne barbotte que dans l'eau claire.

– Quand le jars est tout prêt pour repêcher l'oie ! fit Mme Wolfe qui avait été témoin de la conversation, et voulait faire allusion au sauvetage opéré par André.

– Dites à Mme Wolfe que je crains les loups, répondit-elle à celui qui lui fit part de ses remarques.

Au son de la première valse, André s'avança vers Agathe, tel que convenu entre eux deux, et elle alla prendre sa place au bras de son fiancé. Elle valsa si bien que plusieurs jeunes gens se précipitèrent vers elle afin de la retenir pour la seconde valse. Elle accepta le premier rendu qui, par hasard, se trouva Peter Wolfe.

Mme Wolfe jubilait quand elle vit Agathe s'avancer au bras de son fils. Elle voyait déjà danser les millions.

– C'est mon fils, dit-elle à sa voisine. C'est un beau danseur, et quel joueur de golf !

– Mais quel est ce jeune homme avec qui Mlle Drassel a dansé sa première danse ?

– C'est le gérant des usines de M. Drassel ; un bon jeune homme sans doute, mais... qui a son histoire !

– Ah ! il a une histoire ? dit sa voisine d'un air intéressé.

– Vous savez, je n'aime pas à médire du prochain ; sans être chrétienne, je pratique la charité chrétienne ! Mais...

– Ce mais... en dit beaucoup, cependant ?

– Je vous raconterai son histoire sous le sceau du secret.

Elle raconta tout ce qu'elle connaissait, ou du moins tout ce qu'elle croyait connaître au sujet d'André. Dans ses moments de charité, à sa façon, elle se permettait de broder, quand elle ne connaissait pas à fond son sujet. Histoire de paraître renseignée. Elle finit par la mise en garde habituelle : N'en parlez à personne ! Ce qui voulait dire : laissez-moi le plaisir de raconter son histoire à tout le monde. Deux heures après, tous les invités connaissaient ou prétendaient connaître l'histoire d'André.

La danse se continua au milieu de cette féerie lumineuse jusqu'à une heure du matin, alors que le maître d'hôtel vint annoncer que le réveillon était prêt.

Les invités se dirigèrent vers la salle à manger, anxieux d'y contempler les merveilles qui les y attendaient. Nouvelles surprises, nouvelles exclamations !

Des tables somptueuses avaient été dressées au milieu d'un jeu de lumières, tout différent de la première salle. Les vins mousseux, les liqueurs capiteuses attendaient les hôtes de M. et Mme Duprix. Le choc des verres ne tarda pas à mêler ses bruits aux paroles d'admiration que prodiguaient maintenant les invités, émoustillés par le champagne qui coulait à flots.

– Je suis à me demander, dit un loustic échauffé par le vin, combien M. Duprix a fait de voyages à la Commission des liqueurs pour se procurer toutes ces bouteilles, étant donné qu'il ne peut en emporter qu'une seule à la fois.

– C'est une simple question d'arithmétique, répondit son voisin : cent bouteilles, cent voyages ! mille bouteilles, mille voyages ! C'est bien simple, comme vous voyez !

– Il paraît, dit un jeune Américain, parlant assez haut pour être entendu d'André, qu'il y a encore des gens, dans ce pays arriéré de Québec, qui ont des scrupules à propos du travail du dimanche.

– Oui, et il paraît même, répondit André, se sentant piqué, qu'il y a des gens à qui un verre de vin fait perdre même la notion de l'intelligence.

– Et que voulez-vous dire ? reprit son interlocuteur, en vidant son verre.

– Monsieur, si vous n'avez pas compris, cela ne confirme que trop ce que je viens de vous dire.

– On dit même que des gens fort scrupuleux ont fait du pénitencier, continua, vexé, le jeune Américain.

– Il vaut peut-être mieux faire sa pénitence ici-bas. Dieu attend les autres à son heure !

– Ah ! ah ! dit Marc Greenberg, en trébuchant : Dieu ? Il y a longtemps que nous avons mis cela de côté !

– M. Greenberg n'a pas le droit, lui, un juif, de se moquer des chrétiens ! répondit André, indigné.

André, profondément blessé des propos injurieux du jeune Greenberg, alla trouver Agathe et lui manifesta son intention de se retirer.

- Ne faites pas cela, André, dit Agathe ; vous auriez l'air de leur donner raison.

- Je ne puis supporter ces quolibets sans répondre. Je ne sais ce qui me retient de le précipiter dans le Saguenay par la fenêtre.

- Vous iriez le repêcher, dit Agathe en souriant, et on vous accuserait d'intrigues !

- Vous avez raison, Agathe. Je me tairai pour vous.

- Je me charge de le mettre à sa place à ma façon. Il m'a demandée pour la troisième valse. Je la danserai avec vous.

- Entendu !

Il y avait, sur la table, un gros gâteau qui ressemblait plutôt à un gâteau de noces et qui intriguait beaucoup les invités. Pourquoi ce gâteau plutôt grossier qui cadrait mal avec les décorations de bon goût et les mets délicats ? Tout à coup, le gâteau, qui était en carton, s'ouvrit pour laisser passer une tête de femme magnifique. Bientôt, les épaules émergèrent, pour enfin laisser passer le corps complet d'une beauté parfaite. Cette femme était vêtue de drap d'or serti de diamants.

Une clameur d'admiration sortit de toutes les poitrines.

- La déesse Progrès ! dit-elle en s'annonçant elle-même, tout en tournant sur un pivot pour se faire admirer de toute l'assistance. Elle retourna comme elle était venue et le gâteau de carton se referma sur elle.

Cette scène de paganisme avait fini par dégoûter le groupe Drassel. Sous prétexte qu'elle se sentait malade, Mme Drassel demanda à son mari de l'accompagner chez elle à Chicoutimi. André et Agathe suivirent de près, heureux de quitter cette scène déprimante.

Après leur départ, les quolibets plurent sur ces arriérés, qui ne pouvaient convenir du progrès et de l'hommage qu'on devait lui rendre. Les fils d'Abraham, surtout, furent d'une violence digne d'eux.

Mme Duprix fut cependant très correcte et excusa M. et Mme Drassel, en expliquant que Mme Drassel s'était tout à coup trouvée indisposée.

La danse reprit bientôt avec une allure endiablée. Les fox-trot, turkey-trot, tango et toutes les danses animales et sauvages, se succédaient sans relâche. On dansa ainsi jusqu'à deux heures du matin, heure fixée pour l'illumination de la terrasse. Ce moment était attendu avec anxiété par tous ces gens avides de nouveau et d'imprévu.

Les invités furent priés de sortir sur la grande véranda qui donnait sur le jardin artificiel.

Une exclamation semblable à celle qui avait eu lieu à l'illumination de l'intérieur éclata, quand M. Duprix fit jaillir un nouveau torrent de lumière qui éblouit les yeux des spectateurs.

Une féerie, digne des génies qui avaient présidé à cette merveille, s'offrait à leurs yeux. Les puissants réflecteurs transportaient au loin les jets de lumière étincelants et l'on pouvait voir, à la clarté qui inondait les alentours, les terres submergées de Saint-Cœur-de-Marie, de Taillon et même de Péribonka.

M. Duprix éprouva-t-il du remords en voyant, à côté de ce déploiement de richesses, les fermes inondées de la région ? Peut-être ! Il regarda longtemps, du haut de la tour où il était monté, ce contraste émouvant. Les cœurs les plus fermés ont parfois des sursauts de générosité. « Nous les indemniserons », avait-il répondu à ceux qui lui avaient reproché sa cruauté ; mais peut-on indemniser une douleur comme celle des Lescault, par exemple ? Énigme qui ne s'était sans doute pas posée à l'esprit de ce grand vainqueur d'obstacles de la nature.

Cependant, toute trace d'émotion avait disparu, quand il invita ses hôtes à l'intérieur, pour continuer la fête.

Les libations continuèrent, si bien que plusieurs, et même les femmes, commençaient à être éméchées.

Tout à coup, une obscurité profonde fit place à la lumière et les mosaïques furent transformées en tableaux vivants et transparents, qui semblaient mus par une main invisible. En vain M. Duprix fit-il appel à ses électriciens qui s'étaient tenus constamment en disponibilité, pour parer au moindre inconvénient dans l'illumination, ceux-ci n'y purent rien.

Les invités stupéfaits virent passer sur cet écran mystérieux des tableaux représentant la débâcle qui avait noyé cinquante ouvriers. (Les ouvriers revenaient à la surface avec des airs menaçants contre cette foule de viveurs, enivrés.) Ce premier tableau fut suivi d'un autre, représentant le sauvetage des inondés dans des chaloupes, puis ce fut le triste cortège des charrettes chargées de ménages échappés à l'inondation. Les femmes et les enfants, harassés de fatigue, suivaient les véhicules à haridelles. Enfin, on vit sauter ce barrage qui avait coûté cent millions de dollars.

M. Duprix vociférait, hurlait, pour ainsi dire, son mépris contre ses électriciens qui ne pouvaient arrêter ce spectacle inattendu et mal venu. Ne pouvant croire au surnaturel, il les accusa même d'en être les auteurs.

« *Mané ! Thécel ! Pharès !* » cria un invité, couché et ivre-mort, dans un coin de la salle. M. Duprix devint d'une pâleur livide en entendant ces mots, et tomba foudroyé sur le parquet de glace, qui devait être son tombeau.

Des cris et des lamentations suivirent ce dénouement tragique. En un clin d'œil, la place était vidée et tous fuyaient à pied, à la lueur des projecteurs, ce château féerique, mais apparemment maudit. Ils purent ainsi regagner leur bateau à Bagotville, où ils arrivèrent plus morts que vifs.

Le soleil de Dieu se leva clair et radieux sur cette scène d'horreurs, par ce beau matin du treize juillet, et ses rayons ardents noyèrent bientôt cette lumière artificielle, créée comme en un défi à la Divinité.

XXII

Loin de ce spectacle féerique, cosmopolite et païen, sur les bords du majestueux Saint-Laurent, où la population est encore pure de tout alliage, se déroulait une de ces belles fêtes canadiennes, grandes par la simplicité des mœurs et la foi naïve dont s'honorent encore ces descendants de la vieille France.

(Après son retour à Verchères, la famille Lescault tout entière avait assisté à la grand'messe, le dimanche. À la sortie de l'église, ils s'étaient vus entourés des anciens, qui s'étaient empressés de leur souhaiter la bienvenue dans la paroisse.)

Le soleil filtrait encore ses rayons dorés à travers l'épais feuillage des érables et des chênes qui entouraient la vieille maison grise des Lescault, quand on vit venir, sur le Chemin du Roi, une troupe de jeunes gens et de jeunes filles, suivis des plus vieux. Arrivés à la barrière de la ferme, le premier l'ouvrit, et tous enfilèrent dans la Cour. Un violoneux attaqua un air gai pour faire sortir les habitants de la maison, puis le groupe entonna cette chanson bien connue au Canada :

Bonjour le maître et la maîtresse

Et tout le monde de la maison.

– C'est notre bonne vieille guignolée, dit Mme Lescault.

– Ce n'est pas la guignolée, répondit celui qui était chargé de faire le boniment. Ce sont vos amis, anciens et nouveaux, vos voisins et vos voisines qui viennent vous souhaiter la bienvenue au milieu de nous. C'est si naturel de vous revoir chez vous, sur le vieux bien paternel, habité de père en fils par les Lescault, comme si c'était un héritage de noblesse. Vous avez vieilli, c'est vrai, mais les vieux d'ici ne sont plus jeunes non plus et ils ont vieilli en sympathie avec vos malheurs. Aux jeunes que vous ramenez avec vous, nous adressons aussi notre cordiale bienvenue.

Ces phrases simples, mais venant du cœur, les émurent jusqu'aux larmes. Même Pierre Lescault, que tous ses malheurs n'avaient pu faire pleurer, versa des larmes de joie.

L'éloquence n'est pas l'apanage de ces cœurs simples et bons ; aussi la réponse de Pierre Lescault fut-elle brève :

- Puisqu'on est encore aimés et respectés, soyez les bienvenus dans la maison de mes ancêtres, la vôtre ! dit-il.

Les embrassements suivirent cette entrée en scène et les jeunes s'amusèrent ferme. Les plus vieux, réunis à la cuisine, écoutaient avec une religieuse attention le récit que leur faisait Pierre Lescault de son expérience et des malheurs tombés sur la nouvelle paroisse de Sainte-Véronique. On servit comme boisson de la petite bière d'épinette et du sirop de framboise.

On dansa à la lueur des lampes à pétrole, qui projettent des ombres sur les murs mais n'énervent pas.

XXIII

La famille Drassel, plutôt habituée à la vie de famille, était sortie dégoûtée du vain faste exhibé par les Duprix. Ils n'avaient pas été témoins de la fin tragique de ce bal, où l'énervement causé par l'intensité des lumières avait rendu les invités presque fous. Ils furent heureux de réintégrer leur beau « home », où aucun luxe inutile n'était étalé. Le spectacle des toilettes osées, exhibées avec un sans-gêne choquant, avait jeté le dégoût dans l'âme simple d'Agathe. Elle avait été élevée dans le sérieux du pensionnat de la Présentation, à Coaticook ; la vie du monde lui était indifférente. Elle continua donc, sous la surveillance de sa mère, à s'intéresser davantage à l'art culinaire. Son père était toujours heureux, quand elle lui apportait un plat nouveau, préparé de sa main.

Cette vie paisible tombait dans les goûts naturels de cet Écossais pratique qu'était resté M. Drassel. Une seule chose le contrariait, c'était la fausse position sociale d'André, encore connu sous le nom de Selcault. Inutile de songer à son mariage avec sa fille sous un faux : nom, la loi et l'Église s'y opposeraient. Pourtant c'était celui qu'Agathe aimait ; le seul qu'elle pût aimer et le seul aussi qui possédait les qualités qu'il avait toujours espéré trouver chez celui qui deviendrait son gendre. Une héritière riche et jolie comme Agathe ne pouvait se résigner au célibat, et pourtant tout projet de mariage devait être écarté pour le moment. M. Drassel aurait certainement préféré un fils d'Écosse pour gendre, mais il en avait pris son parti. Marié lui-même à une Canadienne-Française qu'il avait choisie librement, il ne pouvait blâmer sa fille d'avoir un penchant pour les Canadiens-Français. D'ailleurs son éducation était française. Sans rien laisser percer de ses intentions, son épouse avait choisi pour elle une maison d'éducation canadienne-française, et maintenant il était trop tard pour récriminer.

Malgré qu'André eût franchement raconté sa vie à son patron, celui-ci y voyait toujours un mystère qu'il se décida à éclaircir une fois pour toutes. Il le pria donc de passer à son boudoir, un soir qu'il rendait visite à sa fille, pendant que celle-ci finissait sa toilette.

– André, dit-il, j'ai à vous parler de choses sérieuses. Depuis que vous êtes à mon service, je n'ai qu'à vous louer de votre habileté en affaires. Il y a bien cette malheureuse grève, qui a mis momentanément un peu de froid entre nous, mais passons.

J'ai peut-être commis une imprudence en vous laissant fréquenter Agathe. Il est vrai que, sans vous, elle n'existerait plus ; mais, d'un autre côté, vous auriez pu accepter la récompense substantielle que je vous ai offerte et nous aurions été quittes. Cependant on ne refait pas le passé. Jurez-moi que votre refus n'était pas calculé, et que vous n'aimez pas Agathe pour sa dot !

– Je vous le jure sur mon âme ! répondit André, inquiet d'une telle entrée en matière. Aucun sentiment sordide ne me guide dans mes fréquentations chez vous. Agathe est belle, bonne, et nous avons les mêmes idées. Si elle a de la fortune, ce n'est pas de ma faute ni de la sienne, et je l'aime pour elle-même. Sauver la vie à quelqu'un, c'est un peu comme la lui donner. Vous comprendrez donc que je me sois attaché davantage à elle après l'accident. Rien ne pourrait maintenant m'en détacher, même si les circonstances nous séparaient pour jamais.

– Dieu ne m'a pas donné de fils, il faut y suppléer par un gendre ; mais vous savez que votre situation n'est pas claire.

– C'est pourquoi je ne vous ai pas encore demandé sa main ; et je ne le ferai pas tant que je n'aurai pas été réhabilité.

– Ce sont de belles paroles qui vous honorent, André ; mais de là à les mettre à exécution ! Par quel moyen comptez-vous vous réhabiliter ? Vous avez eu un procès régulier ; rien n'a été négligé et votre père, me dites-vous, s'est même ruiné pour vous défendre. Vous avez été jugé par douze de vos pairs ; enfin vous avez fait trois ans de bagne !

– Si j'étais coupable, Monsieur Drassel, j'aurais encore le droit de vous dire que j'ai payé ma dette à la société, que je lui ai donné ce qu'elle exigeait de moi ; mais je suis innocent et je vous le jure.

– Alors, comment concilier tout cela ?

– C'est une de ces malheureuses erreurs judiciaires qui ne s'expliquent que quand le vrai coupable fait une confession. J'ai l'intention de faire réviser mon procès.

– Et vous croyez faire ainsi éclater votre innocence ? Ne craignez-vous pas de vous enfoncer davantage, en ressuscitant cette malheureuse affaire, et de n'obtenir comme résultat qu'une dépense considérable d'argent ?

– Croyez que je tiens plus à l'honneur qu'à l'argent. Existe-t-il dans les annales judiciaires, à votre connaissance, le cas d'un coupable ayant subi sa peine et demandant une révision de son procès ?

– Non, et ce serait peut-être le seul atout en votre faveur ; les témoins, le jugement, tout serait contre vous.

– Je le ferai quand même, Monsieur Drassel ; je l'ai promis à Agathe. Je suis actuellement à la recherche d'un individu, et, si je puis le rattraper, je crois que je tiendrai la clef du mystère.

– C'est mon secret, pour le moment !

– Alors, allez-y, jeune homme ; la main d'Agathe est à ce prix. Puisez dans la caisse tous les fonds dont vous aurez besoin et placez les montants au compte des « profits et pertes ». Je crois à votre innocence, mais le public n'y ajoutera foi que devant la preuve.

– Merci, Monsieur Drassel, de votre confiance, d'abord, et de votre aide pécuniaire, ensuite. Je mets les meilleurs limiers à la recherche de cet homme. S'ils le retrouvent, je vous promets qu'André Lescault retrouvera son honneur et reprendra son nom. Ensuite, j'irai m'agenouiller devant mon père et demander sa bénédiction.

André était pâle d'émotion quand il sortit du boudoir, suivi de près par M. Drassel, dont la figure trahissait aussi une émotion intense. L'avenir de sa fille était l'enjeu d'un coup de dés, mais il avait encore confiance au succès d'André.

XXIV

Pendant six mois, les meilleurs limiers du Canada parcoururent le pays et même plusieurs villes américaines, cherchant, parmi la pègre, celui dont André leur avait donné le signalement. Un jour, la rumeur courait que l'être recherché avait été trouvé dans une ville du sud des États-Unis ; un autre jour, on avait retracé l'individu à Toronto. Rien d'officiel n'était cependant rapporté, si ce n'est qu'on espérait bientôt mettre la main sur lui. Il avait été vu à tel endroit, mais se sentant poursuivi, il avait fui vers un autre. Finalement, de guerre lasse, ils abandonnèrent la partie et firent leur rapport en conséquence.

Agathe apprit l'insuccès d'André avec une douleur facile à comprendre. Ce dernier discontinua ses visites auprès d'elle, ayant abandonné tout espoir de se réhabiliter. M. Drassel avait dit : La main d'Agathe est à ce prix, et ce prix il ne pouvait le payer. Le désappointement était aussi vif chez les Drassel que du côté d'André, mais à l'impossible nul n'est tenu.

André, que cet insuccès avait terrassé, perdait l'appétit et commençait à donner des signes de dépression physique. Le médecin lui conseilla un voyage en Floride, loin de tout tracas. Ce fut peine perdue ; il ne voulut pas s'éloigner de celle qu'il adorait, sans avoir tenté un dernier effort.

L'état d'Agathe n'était pas plus encourageant. Mme Drassel, qui avait posé les premières objections aux fréquentations, poussait maintenant son mari à retirer les siennes au mariage.

M. Drassel, qui était doué de cette ténacité écossaise bien connue, hésita longtemps, mais, finalement, il refusa son consentement avant que de nouveaux efforts soient faits. Il prit la cause en mains et retint les services des meilleurs avocats, pour faire réviser le procès et casser la sentence qui avait été prononcée contre André.

XXV

Pour se distraire, Agathe faisait tous les jours de longues marches, tâchant d'oublier, si possible, celui qu'elle adorait. « Le langage des fleurs ne ment pas », mais les fleurs ne lui avaient dit qu'une chose et elles avaient laissé de côté le mariage. Entre s'aimer et se marier il y a tout un monde de différence. Elle allait tous les jours chercher le courrier, parcourant à pied la longue distance entre leur résidence et le bureau de poste.

Deux mois de cette vie monotone s'étaient écoulés. La révision du procès marchait à pas de tortue. Mille et une objections furent posées par l'avocat de la Couronne, pour retarder le nouveau procès.

Par une belle et tiède journée d'avril, où la neige fondante multipliait les petits ruisseaux sur la chaussée, Agathe s'en retournait chez elle en lisant le journal rempli de gros titres. Quelle profusion de nouvelles ! se disait-elle. Tout à coup, ses yeux tombèrent sur une manchette qui sembla l'intéresser plus que les autres : *Testament unique !* y lit-elle.

– Tiens, qu'est-ce que ce testament ? Une erreur judiciaire ? Mais c'est intéressant ! C'est d'une chose semblable qu'André a été victime ! Mais elle se trompe donc la justice, parfois !

Elle continua de lire l'article :

« Un vagabond, mort au refuge Meurling, laisse un testament qui fait la lumière sur un procès resté célèbre dans nos annales judiciaires.

« James Cummings, alias Jack Brown, tel est le nom de ce mystérieux individu qui s'était enregistré au refuge, sous le nom de Peter Hacket. Or, ce James Cummings, alias Brown, alias Hacket s'accuse du vol de la Banque du Canada, à Montréal, il y a plusieurs années, et pour lequel André Lescault, un jeune employé de la banque, a été arrêté, jugé et condamné.

« Le testament se lit comme suit :

Montréal, le 4 avril

« Je soussigné, James Cummings, alias Jack Brown, alias Peter

Hacket, jouissant de mes pleines facultés et désirant réparer, après ma mort, le tort que j'ai fait à mon bienfaiteur, André Lescault, désire livrer à la publicité les faits suivants :

« Le 6 septembre 1923, en compagnie de Harry Short et James Carring (que Dieu ait pitié de leur âme), je me suis introduit, par un dimanche après-midi, dans la Banque du Canada, située rue Sainte-Catherine, à Montréal, et y ai volé la somme de cinquante mille dollars, après avoir forcé le gérant, à la pointe du revolver, à nous ouvrir la voûte. Nous sommes sortis avec notre butin, Short et moi, et nous nous sommes dirigés vers l'auto qui nous attendait, conduite par Carring. Le directeur de la banque, que nous avions ligoté, avait réussi à se libérer et à avertir la police en donnant notre signalement. Une balle de revolver ayant sifflé à nos oreilles, nous crûmes plus prudent, Short et moi, de nous réfugier dans le premier cinéma que nous rencontrerions. Nous prîmes avec nous le magot, et Carring continua avec l'auto qu'il alla précipiter dans le fleuve.

« Nous avions été observés en entrant au cinéma, et la police attendait notre sortie pour nous arrêter. Toutes les issues étaient bien gardées. J'aperçus un homme de police qui, imprudemment, mit sa tête dans l'entrebâillement d'une porte, cherchant à nous localiser dans la salle. Je portai la main à mon revolver pour lui flamber la cervelle, mais je me ravisai. Comme tout le monde sortait, je profitai du brouhaha pour me coucher sur le plancher avec Short. Nous entendîmes un tumulte au dehors pendant que nous restions couchés à plat ventre sur le plancher. Des cris de protestation, puis des cris de : « *Jail him ! jail him !* Coffrez-le ! coffrez-le ! c'est lui ! Il était déguisé, mais je le reconnais ! » furent distinctement entendus par nous. Nous pûmes reconnaître la voix du directeur de la banque qui donnait des instructions à la police.

« – Notre affaire est bonne, dis-je à Short ; un autre est arrêté à notre place ! Nous sortîmes alors du théâtre pour nous mêler aux autres curieux, en attendant une chance de nous sauver. La patrouille fut bientôt sur les lieux et nous vîmes partir un jeune homme, pâle de terreur, au bras de deux hommes de la patrouille. C'est toi qu'ils emmènent, me dit Short ; regarde comme il te ressemble. En effet, je me reconnaissais dans la personne de ce jeune homme que l'on arrêtait à ma place. Heureux de cette méprise, nous nous cachâmes jusqu'au lendemain matin. Après nous être vêtus de neuf, nous achetâmes une automobile avec laquelle nous avons franchi la frontière américaine ; puis nous nous sommes réfugiés à New-York, où nous avons follement dépensé notre argent.

« Je suivais les détails du procès de Lescault, sur les journaux de New-York, et, à ma honte, je dois dire que j'en éprouvais de la joie. Après la condamnation de Lescault, me sentant en pleine liberté, je traversai du côté canadien, mais il ne me restait plus que quelques dollars. Ayant appris la construction du barrage de l'Isle Maligne, je m'y dirigeai. N'ayant plus d'argent, je parcourus à pied la distance entre Roberval et l'Isle Maligne. Par surcroît de malheur, je fus induit en erreur et m'écartai du côté nord du lac. Au cours de mon trajet, je m'arrêtai dans une famille du nom de Lescault. Ces gens me prirent pour leur fils André. Ne trouvant pas la place sûre, je continuai ma marche jusqu'à ce qu'enfin j'atteignis l'Isle où je n'eus pas de difficulté à me procurer de l'ouvrage. Je me cachai ainsi, pendant trois ans, à la faveur du milieu cosmopolite qu'était Saint-Joseph-d'Alma, à cette époque. Or, un dimanche après-midi, je tombai accidentellement à l'eau. Je me croyais irrémédiablement perdu. Désespérément, je me cramponnai à une branche au-dessus du torrent et fus sauvé par André Lescault, qui était connu sous le nom de Selcault. Tout le monde fut frappé de notre ressemblance. Je ne laissai cependant rien percer du mystère, quoique je fusse vivement touché de l'acte d'héroïsme de Lescault. Deux fois, j'ai été tenté de lui faire ma confession, mais la lâcheté l'a emporté sur le courage.

« Après ma convalescence, je décidai cependant de quitter les lieux, car je ne pouvais supporter la vue de celui qui m'était si supérieur en tout et qui avait souffert pour moi.

« J'ai depuis traîné ma misère de ville en ville, et, comme le médecin du refuge où la charité publique m'a recueilli déclare mon cas désespéré, je fais cette confession avant de mourir et demande à Dieu et à Lescault de me pardonner.

« Signé : James CUMMINGS,

« alias BROWN, alias HACKET »

Agathe s'était appuyée à la fenêtre d'une boutique et avait lu tout d'un trait ce testament, macabre en soi, mais si heureux pour André et pour elle-même.

Ayant achevé la lecture de l'article, elle héla un taxi.

– Filez à toute vitesse à l'usine Drassel, dit-elle au chauffeur.

En quelques minutes, le taxi fut à la porte du bureau de son père. Elle jeta une poignée de pièces de monnaie au chauffeur et ouvrit précipitamment la porte.

– Lisez papa, dit-elle en tombant presque évanouie dans un fauteuil.

Un moment de stupeur suivit la lecture de ce document révélateur par M. Drassel.

Il regarda Agathe sans mot dire.

Se levant, enfin, il ouvrit la porte du bureau d'André et lui dit :

– Venez que je vous embrasse et vous félicite.

Pâle comme la mort, André lut, avec l'émotion que l'on peut comprendre, la bonne nouvelle de sa réhabilitation.

Agathe alla inconsciemment se jeter dans ses bras et tous deux pleurèrent des larmes de joie, en attendant d'aller raconter à Mme Drassel l'heureuse nouvelle. Le 9 juillet suivant, les nouveaux mariés s'embarquaient à Bagotville pour un voyage de trois mois en Europe, sur le yacht privé de M. Drassel.

En passant à Québec, avant qu'André aille se jeter dans les bras de ses parents, ils s'arrêtèrent saluer la bonne Mme Coulombe. De là, ils se rendirent à Verchères pour assister aux noces de Joseph Lescault, qui avait, le matin même, épousé une jeune fille de cultivateur de la paroisse. La noce finit au milieu de la joie la plus pure, et l'heureux couple se rembarqua sur le yacht pour poursuivre son voyage.

André, victime d'une erreur judiciaire, avait bien mérité ces vacances après ce long martyre.

FIN

Milton Keynes UK
Ingram Content Group UK Ltd.
UKHW051015271023
431440UK00010B/422